JN116951

言語の中動態、思考の中動態

言語の中動態、思考の中動態

小野文・粂田文 編

水声社

はじめに

小野文

言語研究において「中動」態への目配りは古くから存在する。インドの文法家パーニニ（紀元前四世紀）を脇におくとしても、トラキアのディオニューシオス著『テクネー・グランマティケー』（紀元前二世紀）やアポローニオス・デュスコロス著『統辞論』（紀元前二―一世紀）等、西洋の文法記述の最初であり後生の規範とされる古典文法書のなかで、中動は「能動」「受動」と並んで定義を受けてきている。しかしこの中動態の最初期の記述のなかに、すでに曖昧さが紛れ込んできているという指摘もある。[1] ヤーコプ・ヴァッカーナーゲルは『統辞論講義』（一九二六）のなかで、中動態について、「この〔能動／受動の〕図式に入れることのできないものは、〝中動〟（惰性から作られた用語である）として脇におかれた」と述べているが、[2] ある意味それは正しいだろう。この扱いにくさゆえに、中動態は注目されてきたと言っても過言ではない。

中動態の研究史が重要な変化を遂げるのは、二十世紀に入ってからである。比較言語学の大家アントワーヌ・メイエの下で教えを受けたエミール・バンヴェニストやイェジ・クリウォヴィチらが、ヒッタイト語等の新しい言語資料や、「対立」構造による説明図式というソシュール的手段を用いて、中動への視点を塗り替える。このバンヴェニストの一九五〇年の中動態の定義（それは「能動vs中動」という対立となって現れる）は、「現在でも最も実用的でありつづけている」とゴシック語の専門家アンドレ・ルソーは確言している。(3)

ただしこの「実用的」な中動態の記述は、「汎用的」にもなりえる。バンヴェニストの定義以降、後に彼が発展させる問題圏と合わせて、中動態は「人称」や「語り」、あるいは「主体性」の問題とともに哲学・思想の領域で語られるようになってきた。そこでは「中動態」の概念は、主体と周囲の固定した関係性を揺り動かす新しい視座とされる。中動態がとりわけいま、哲学・思想の場で注目を浴びるのは、故なきことではないだろう。自他の関係性が行き詰まりを見せ、相手との距離の取り方が分からない、あるいは相手そのものも見えにくくなっている現在、日本でも、いや世界のどこにおいても、「あいだ」の思考の捉え直しや、自分を動かすものを見つめ直すという反省が起こっているのだと考えられる。

ヨーロッパの思想界においては一九六〇年代後半から、バルトやデリダを始めとする、ポストモダンの思想家たちがこの概念に注目し議論の対象としてきたが、近年ではアガンベンやラトゥールが鍵概念として「中動態」を用いている。一方、日本において中動態への注目は二〇一〇年代から徐々に始まっていたが（木村敏「中動態的自己の病理」〔二〇一〇〕、『あいだと生命』〔二〇一四〕所収、森田亜紀『芸術の中動態』〔二〇一三〕）、二〇一七年の國分功一郎『中動態の世界』の出版で一気に認知度が高まり、また議論も盛んになっている。[4] 一時は様々な思考や現象に「中動態」という概念を適用してみることが硬派なジャーナリズムの書き手の趨向となった感もあった。現在、「中動態」という概念は、日本の思想言論界にある程度の市民権を得た用語となっている。

*

右に記したような著作に刺激を受けて、あるいはそれ以前から、この論文集の執筆者たちは「中動態」概念に興味を持っており、あるときそれが共通の話題になったことから、バンヴェニスト研究者である小野の呼びかけにより「中動態研究会」が立ち上がった。本書の目次を一瞥すると分かるように、執筆者の研究領域は、言語思想史、言語学、哲学、心理学、文学と多岐にわたり、一見、分析対象や研究の方向性にも重なるところは殆どないように見える。同じ時期に、ある程度顔なじみの者が集まったとはいえ、それぞれの中動態の捉え方も違っていた。「私の話している中動態は、あなたの思っている中動態と別物だ」と感じるときは多々あったと告白しよう。それにもかかわらず共同研究を続けられたのには、複数の理由が考えられるだろうが、最も大きな理由は、中動態という「躓きの石」がもつ不思議な求心力だったと言えるだろうか。一人ひとりが「中動態」という概念を、良い意味で看過できないと感じ、これに向き合う必要性を認めたのだともいえる。自らの中動態の思考をもっと深く、もっと遠くへと押しやるために、異質な研究分野にも足を踏み入れてみることが、この研究会を通じて可能となったのである。

最初は別々の星のうえで存在しているように思われた研究であるが、その星々は、いくつかのシグナルを外に向けて送っていた。そのシグナルに気付き、いくつかの点が線になっていったのは、数回の勉強会で発表しあい、お互いの研究の距離感がつかみかけた頃だったと思う。その頃、（この論文集にも参加してくれている）郷原佳以氏が『みすず』誌上につづけて連載していた、「「私は書く」の現前性から「私は死んでいる」の可能性へ――バルト、バンヴェニスト、デリダ[5]」を回し読み、そのなかで触れられている「隠喩としての中動態」という考え方に出会うことができた。自分たちの研究会を、厳密に言語学的概念としての「中動態」を中心核として考えるのではなく、「比喩としての中動態」という曖昧で外延のはっきりしないものとしておくことで、しかもそれを肯定的に捉えることで、バラバラに見えていた各研究は、少しずつ「家族的類似性」を見せ始めたといえる。

冒頭に述べたように、言語学における中動態概念は、まずは古典ギリシャ語研究のなかで、その後にラテン語（デポーネント）、さらにはインド＝ヨーロッパ諸言語と言われるヨーロッパの諸言語研究（再帰代名動詞や中動相、中間構文）のなかで培われてきた。すでに古典ギリシャ語においても受動態にとって代わられようとしていた「虐げられた態」の感が強い「中動」であるが、それを「能動／中動」の対立において捉え直そうとしたのがバンヴェニストである（小野）。この中動態はヨーロッパ諸言語に痕跡を残しているが、顕れ方は一様ではないというのが、個別言語研究を通して窺える（北條）。勉強会のなかでは、この「中動態的な言語事象」は、日本語のなかにも見いだせると私たちは考えた。本居春庭の『詞通路』（一八二八）では動詞の自他を論じつつ、自他を二項対立ではなく複層的に捉えようとする考え方がすでに述べられている。この日本語における「自ずから」「然する」という中動態の思考の行方については、本論文集では専門家の研究発表が得られなかったが、東洋と西洋の「思考」と「瞑想」の在り方を考察する際の一つの切り口となりそうである（熊倉）。西洋哲学においては、〈行為者が自らの行為を支配し切れない〉（荒金）という中動態的な世界認識は、「主体・客体」という二項対立の捉え直しを可能にし、近代的自我としての「私」にゆさぶりをかける。一方、バンヴェニストの諸論文に通底する〈ことばにおける主体性の問題〉（小野、郷原）は、言語行為のなかで生起しては変容する「私」という、もう一つの「私」のあり方を提示している。こうした「言語」と「私」の関係をめぐる省察は、当事者性の問題へと繋がり、自閉スペクトラム症など未分化の世界で生きるクライエントの主体生成とそれに対する心理療法のあり方や（藤巻）、想起文学において回想して語る「私」とは誰か、そこから浮かびあがる過去のイメージとは一体誰のものなのか（粂田）といった問題、さらには文学テキストの語りにおける非人称の意味（郷原）を考える際に示唆に富むものとなる。そして、西洋近代が生み出した「私」の幻想をのり越えんとする思考の行き着く先は、究極、〈私は考えない、ゆえに私は存在しない〉（熊倉）ということなのかもしれない。

しかしここに述べた繋がりは、あくまで中動態の拡がりの可能性の一部分であって、読者にはそれぞれの読み方、繋げ方、あるいは切り離し方があると思う。私たちの論考が一つの星座として形を為すかどうかは、読者の判断にまかせたい。

【註】

（1）『テクネー・グランマティケー』では、能動態完了形と中動態アオリスト形が並んで例に挙げられている。もう少し時代が下ると、「態」を統辞論的・意味論的に表す“diathesis”という用語と、形態論的に表す“voice”という用語の二種が混在するようになり、これも態の問題を複雑にしてきた。この混同を指摘し、またアオリストと完了形のもつれをアポローニオス・デュスコロスにまで辿り直す試みに関しては、下記の論考を参照されたい。cf. Marina Benedetti, « Pourquoi l'appelle-t-on moyen ? Apollonius Dyscole et les « figures moyennes » », *Langages*, 194, 2014, p. 9-20.

（2）Jacob Wackernagel, *Vorlesungen über Syntax*, vol.1, Basel, E. Birkhäuser & Cie, 1926 (1950²), p. 121.

（3）André Rousseau, « Propositions pour une description ordonnée des « voix » et des « diathèses » : problématique, statut et conceptualisation du « moyen » », *Langages*, 194, 2014, p. 21-34.

（4）國分は二〇二〇年十二月にも熊谷晋一郎と共著で『〈責任〉の生成――中動態と当事者研究』（新曜社）を出している。

（5）連載の書誌情報は次の通り。『みすず』二〇一八年十二月号（三〇―三九頁）、二〇一九年四月号（一四―二五頁）、二〇一九年六月号（二六―三七頁）、二〇一九年八月号（一二―二二頁）。

目次

バンヴェニストにおける中動態
——その来し方と行方を辿って

小野文

ことばと思考に関するメモ
言語学者たちも哲学者たちも、ことばについての省察が
どれほど困難で危険なのかをまだ理解していない
ヘルダーリンにとっての詩のように
「もっとも無垢で、もっとも危険な気晴らし」
——バンヴェニストの走り書き(1)

はじめに

エミール・バンヴェニストの「動詞における能動と中動」(以下、「中動態論文」)は、一九五〇年に発表されてから、一般言語学に分類される彼の他の論文、例えば「代名詞の性質」(Benveniste 1956)や「ことばにおける主体性について」(Benveniste 1958b)、「フランス語動詞における時制の諸関係」(Benveniste 1959)ほどではないにしろ、少なからぬ議論を呼んできた。その議論は、言

語学の内部と同じぐらいその外部で、とりわけ文学理論や思想・哲学の場で展開されてきたようである。すぐに思い出されるのは、フランスでロラン・バルトやジャック・デリダが中動態の概念をめぐって意見を交え、また文章をしたためていることで、それらの下敷きには疑いなくバンヴェニストの当該論文がある。さらに近年、日本でも精神医学や哲学の専門家たちが中動態という思想のあり方について言及する際には、必ずバンヴェニストが引かれるのである。

フランスの文脈にもう少し目を凝らすと、この注目のされ方に、ある特徴が観察されるように思われる。バンヴェニストの「中動態論文」が他の領域から注目を浴びるようになった時期とは、一九五〇年の発表すぐにではなく、先にみた幾つかの論文全てがまとめられた『一般言語学の諸問題』第一巻が一九六六年に出版されてからである。バルトはこの機にバンヴェニストの文体（スタイル）を絶賛する書評をしたためているが[2]、同年十月にジョンズ・ホプキンズ大学で開かれた会議での有名な発表「書くは自動詞か？」において、公然とバンヴェニストを参照し、彼の複数の論考に依拠しつつ、「態」の問題を「時制」「人称」「ディスクールの審級」と同列に置いている。このバルトの身振りが象徴しているように、「中動態」論文の読解と受容は、言語学者以外の専門家たちにとって、一九六六年の論文集『一般言語学の諸問題』とほぼ同時に行われたようである[3]。それだからこそ、フランスの文学理論あるいは思想的な流れのなかで、「中動態論文」は自然に「人称」「主体」の問題や「時制」の問題と結びつけられるのだろう。

しかし、バンヴェニストの中動態論文が多用されることに対して、私たちは一歩退いて考える必要があると思われる。二つの理由を挙げよう。

一つは、こうした参照点としての中動態論文は、バンヴェニストが意図した中動態の概念に沿っているのか、という疑問に根ざしている。この論文を発表する一九五〇年の時点では、バンヴェニストはまだ「ディスクールの次元」と呼ばれる実際のことばの現働化の問題圏に移行していない。彼は四〇年代から引き続いて自分なりの「構造的手法」を試しているところで、それが後に「ことばに潜在的に宿る主体性の可能性」という思想を導く一つの糸になることは確かなものの、この時点における彼の関心の対象はソシュール的ラングの体系を記述すること、体系内部の対立構造を明らかにすることにある。

またもう一つの疑問は、この文学者・哲学者たちからの熱い視線が、なぜ他でもない「バンヴェニストの」中動態概念に向けられるのか、ということである。バンヴェニストは中動態論文において「能動／中動」という対立のなかで態の問題を定義しなおそうとしたが、それは彼に始まったことではない。後のセクションで検討するが、バンヴェニストの中動態論文は、ある意味で言語研究の長い伝統と専門家たちとの議論の場から生まれてきたものである。それゆえ、バンヴェニストの中動態定義の特性となるものは何なのかについては、慎重に検討していかなければならない。

中動態という概念を比喩的に用いていく限りにおいて、バンヴェニスト以外の言語学者の専門的議論にこだわる必要はないではないか、という批判もありえよう。バンヴェニストの言語学の論考の多くは、さらなる思索を促すように書かれているのであり、その促しに誘われるままに中動態という言語学概念が切り開く新たな思考を追求することに不都合は見当たらない。しかしなお、ここには「中動態」概念ならではの大きな危険がある。「中動態」はある意味、恐るべき汎用力をもちうる概念だからである。比喩的な用法を可能にするかのようなバンヴェニストの中動態の定義であっても、その特性を明確にしておくことは、「中動態的思考」の延長を考える場合にも必要ではないかと思われるのである。

以下の考察は、上に書いた二つの「留保」を裏打ちしていく試みである。前半では、バンヴェニストがどのような研究の内的必然性から「中動態論文」を書くにいたったのかを探求する。彼が当時参照したと思われる言語学の論考や、関心を抱いていた問題圏を探り、いかなる意図と状況のもとで「中動態論文」が執筆されるのかを考察することになる。後半では彼の中動態の定義文を精読し、表現のあいだに分け入りながら、バンヴェニストの中動態の定義の独自性がどこにあるのかを検討する。その上で、その定義の延長線上に何が見えてくるのかに対しても一考を加えたい。

1　コペンハーゲン学派への接近

バンヴェニストの中動態論文は一九五〇年に発表されているが、その分析方法には三〇年代後半から四〇年代にかけて彼が近づいていたヨーロッパのソシュール主義[4]が色濃く反映されている。「中動態論文」の末尾には「ラング」と「パロール」というソシュール概念への言及が見られるだけでなく、次のように結ばれている。「言語事実というものが記号である以上、それが対立において実現せられ、対立によってしか意味を持たないということは、言語事実の本性に根ざしていることである」[5]（175／一七三）。あらかじめ与えられた言語要素ではなく、言語体系内の対立や差異に注目したソシュール言語学の原理が明確に現れている文章と言えよう。当時バンヴェニストは、ソシュール主義あるいは構造主義と今日呼ばれているソシュールの原理に根ざした言語学の潮流と、どのような関係を取り持っていたのだろうか。

バンヴェニストはアントワーヌ・メイエ（一八六六―一九三六）の直弟子であり、そのメイエはパリでフェルディナン・ド・ソシュールの薫陶をうけている。メイエのもとでインド＝ヨーロッパ比較言語学の研鑽を積んだバンヴェニストやジョルジュ・デュメジル、イェジ・クリウォヴィチ、ルイ・ルヌーらが、早い段階でソシュール言語学の原理に触れ、その主張を標榜するのは極めて当然のことであったと言えよう。他方、ヨーロッパの言語学界では、プラハ学派が一九二六年、コペンハーゲン学派が一九三一年に発足し、それぞれ三〇年代から四〇年代にかけてソシュール理論を推進・発展させようとしていた。バンヴェニストらパリの言語学者たちもまた、彼らと学問的な交流を深めながら、後に「構造主義」と呼ばれるようになる思想的運動の基礎となる方法論を模索していくことになる。

一九三〇年代後半から一九五〇年代前半に至るまで、バンヴェニストはコペンハーゲン学派と親しく交わり、影響を受けている。とりわけ学派の創始者の一人、ルイ・イェルムスレウとは、第二次大戦中の困難な時代にも書簡を交わし、研究のこと、生活のことを相談しあっていたようだ。中動態論文の前年に出るバンヴェニストの論考「ラテン語における前置詞の下部論理システム」(Benveniste 1949b)は、コペンハーゲン学派の機関誌『アクタ・リングイスティカ』に載せられたもので、タイトルの「下部論理 sublogique」とはまさにイェルムスレウの術語である。また同じ頃、コレージュ・ド・フランスで開かれていたバンヴェニストの授業では、インド＝ヨーロッパ制度語彙を扱いつつ、並行してヴィッゴ・ブレンダルの『前置詞論』(一九五〇)を読解していたと言う。

当時、コペンハーゲン学派は彼らなりのソシュール的ラングの理解に基づいて言語を分析し、成果を出し始めていた。ヴィッゴ・ブレンダルは『品詞論』(原著一九二八、仏語訳一九四八)、『一般言語学試論』(一九四三)、『前置詞論』(一九五〇)、ルイ・イェルムスレウは『一般言語学原理』(一九二八)、『格のカテゴリー』(一九三五—一九三七)をそれぞれ上梓しながら構造的手法を推し進め、前置詞や格のような、項と項のあいだの「関係性」を扱うカテゴリーを取りあげて、その全体像を対立構造とともに描き出そうとしていた。またデンマークの言語学者たちは「プラス／マイナス」「A / non A」という対立だけでなく、別の対立「A+non A / non A」のような対立も説明図式のなかに積極的に取り入れた。これは直接にはリュシアン・レヴィ＝ブリュールの「融即律loi de participation」という考え方から来ており、この社会学者が未開人の「原始的心性」を描写する際の重要な概念であった。コペンハーゲン学派はこの概念に注目し、言語の論理形式もこのような融即律に沿っていると考えていたようである。

ウルダル、ブレンダル、イェルムスレウを代表とするこの学派は、ソシュールが提示したラングの概念をどこまでも形式面から説明しようとし、パロール、すなわち言語使用の問題には立ち入らなかったことで知られている。とりわけイェルムスレウの構築したグロセマティック（形態素論）は、ソシュールの思想中には確固として存在した「話す主体」を、ラングの外、すなわち研究対象の枠外に押しやることに徹している。それでは主体という概念は彼らのうちに何の興味も引き起こさなかったのだろうか。

イェルムスレウ研究者の立川健二は、イェルムスレウが『格のカテゴリー』（一九三五―三七）において、「前／後ろ」「右／左」「近い／遠い」のような空間的関係を扱っていることに注目し、この著作から次のような言葉を引いている。

> 言語記号によって示される現象は、客観的次元ではなく、主観的次元のものである。話す主体は、物事の客観的あるいは現実の状態の必要に従って文法的形態を選ぶのではなく、着想や観念（Anschauung oder Idee）に押しつけられた原理に従ってであり、それによって話す主体は客観的事実を見るのである。〔……〕格と前置詞の根本的意味作用は、同じ一つの観念的カテゴリーを包有している。このカテゴリーが示す主観的現象とは、空間的観念である。この観念は、空間であれ時間であれ、論理的因果関係であれ連辞的支配であれ、話す主体によって客観的現象のさまざまな次元に適用される。
>
> (Hjelmslev, *Catégorie des cas*, 37)

ここから立川は、イェルムスレウが、話す主体を言語の形式的体系から排除する一方、主体を内在化し、あたかも言語そのものが主体となっているかのような捉え方をしていると指摘する[6]。言語そのものが主体となるかは別にして、バンヴェニストの前置詞に関する論文、また中動態論文も、言語のなかの「主体的なもの」を同じように空間位相的な対立で捉えようとしているようである。次のセクションでは、バンヴェニストの論文のなかに現れる、「主体的なもの」とその位相について、彼の用いる概念や用語から検討してみよう。

2 主辞[7]の圏域

四〇年代から五〇年代にかけて発表されたバンヴェニストの論考には、ラングの構成要素のなかに潜む、主辞の位置づけや傾性、状態を示す装置をえぐりだしたものが幾つも存在する[8]。この系列の論考に私たちの中動態論文も位置づけられる。例えば中動態論文のなかには、「態は過程に対する主辞のある種の態度 une certaine attitude du sujet を示す」(169／一六七)、「こうした対立はつねに過程に対する主辞の構え position du sujet を位置づけることになる」(173／一七一)、「つまり同一の要素内〔動詞のこと〕に一まとめになって一つの全体を形成する三つの参照軸〔人称・数・態[9]〕が集まっている。各々は、それぞれ異なったやり方で主辞を過程に対して位置づけており、主辞の構えの場 champ positionnel du sujet とでも呼ばれうるものを定義する集合となっている」(174／一七二）のような記述が散見する。

以下に、中動態論文の前後に多く見受けられる、主辞の位置づけや傾性、姿勢を示す表現を部分的に引き出してみよう。

『印欧語における作用主名詞と行為名詞』(Benveniste 1948)

*-tu- は、主辞から発し主辞を完遂させつつ、予め定められたこと（prédestination）あるいは内的傾性（disposition interne）としての行為を主体的なものとして示す。それはある潜在性の発揮、つねに同じ方向に向けられた個人的適性（aptitude personnelle）の実践である。

*-ti- は客観的な行為を表し、それは遂行されることにより、あるいは自らによって、主辞の外で実現され、継続性はない。ノエシス的面において、あるいは具体的な意味において、すべての「実効的」観念を性格づけるのに適している。(112)

「印欧語の完了形のいくつかの発展について」[10] (Benveniste 1949a)

すぐに分かるように、これらの動詞〔完了形で現在を意味する動詞〕は全ての意味的カテゴリーにでたらめに拡散しているわけではない。ここで我々が前にしているのは、感性や精神の状態を表す動詞 *mag, aih, skal, -mot* や、事実の状態を示す非人称的動詞 *daug, -nah* である。これらの完了－現在形は、ある種の**主辞の状態**（état du sujet）を示し、ある種の情動的、心的あるいは身体的傾性（disposition affective, mentale ou physique）を叙述する。〔……〕ゲルマン語派の完了－現在形のリストのうちに、真の他動性を示し、目的語に影響を表す意味過程を表すような「操作的」意味の動詞が一つも見当たらないのは意味深いことである。これらの形は、直接的な被制辞[11]を持つにしろ持たないにしろ、すべて主辞の領域（sphère du sujet）に限定されている。*wait, aih* あるいは *skal* の「能動」形は、意味過程が目的語のうえに行うことを当然のように意味するのではなく、主辞の状態に対して特別の限定を与えるだけのことである。

（21. 強調は原著者）

「ラテン語における前置詞の下部論理システム」（Benveniste 1949b）

prae が原因を表すとき、この原因は、主辞の外に客観的に措定される外的ファクターに関連づけられるのではなく、主辞に属するある感覚のなかに宿っており、より正確に言えば、この原因はその感覚の度合いに起因している。〔……〕*prae* は客観的原因を介入させない。それは極点、過度のみを示し、それは主辞の、概してネガティブな態度（disposition, généralement negative, du sujet）を見せることになる。

（*PLG1*, 137-138）

ここでよく読み取っておきたいのは、主辞（sujet）の領域や位置づけ、態度や感覚について語っていながら、これらの論考が扱っているのは統辞機能や語彙であって、こうした文法や語彙を用いる「話し手」、あるいは単に「主体」ではないということである。あくまでも言語（ラング）体系内部に、主辞の傾性にまつわる仕掛けが宿っているとバンヴェニストは言っている。

このような記述は四〇年代を超えて五〇年代にも見いだされるが、五〇年代の例としては、とりわけ中動態を扱っている「思考の範疇と言語の範疇」（Benveniste 1958a）から一例を出す。

> 古いギリシャ語の動詞体系においては、真の区別は能動態と中動態の区別である。ギリシャの思想家なら当然、ある特殊な部類の動詞、つまり中動態しかない動詞（media tantum）で、とりわけ「姿勢 posture」や「態度 attitude」をさすものによって言い表わされる述辞を絶対のものとして措定することもありえた。能動態にも受動態にも等しく還元されえない中動態は、他の二つと同じぐらい特徴的な在り方（manière d'être）を表していたからである。
>
> 〔……〕
>
> いずれにしても、完了が、ギリシャ語の時称体系におさまり切らず、別格の位置を占めていて、場合におうじて時称の一様相かまたは主辞の一つの在り方（manière d'être du sujet）を示していることは確実である。こういうわけで、ギリシャ語には完了の形でしか表現されない観念の数も少なくないことであるから、アリストテレスがこれを存在の一様相（un mode spécifique de l'être）とし、主辞の状態（あるいはありさま）（l'état (ou *habitus*) du sujet）としたこともうなず

けるのである。　　　　　　　　　　　　　　　　　　　　　　　　　　（69-70／七六―七七）

上記の箇所から十分明らかなように、バンヴェニストのうちには、言語のなかの主辞の在り方を探ろうとする一連の論文があり、中動態論文はそのただ中に位置づけられる。繰り返しになるが、ここにおける「主辞 sujet」とは、のちに実際にディスクールを実行していく「話し手 locuteur」、すなわち「話す主体 sujet parlant」の問題圏に繋がっていくものではありながら、いまだ潜在的なラングの領域にとどまるものであることを強調しておこう。一九四七年に発表された有名な論考「動詞における人称関係の構造」ですら、この段階で扱われているのは動詞の屈折に表れる「人称 personne」であり、それは動詞と主辞との関わりを示す範疇の一つではあるものの、いわゆる人称代名詞そのものではなく、まして話す主体ではない。

四〇年代から五〇年代にかけて発表されているこれらの論文群は、言語体系内の文法的機能の対立や語彙の対立を扱っているが、その対立の仕方は必ずしも「A / non A」のような、相互排除的な対立が前提とされているわけではないことにも注意を喚起しておきたい。コペンハーゲン学派の融即律にモデルをとったような複雑な対立のなかに、主体性の領域や態度を示すものが潜んでいる、とバンヴェニストは考えているようである。すでにクロディーヌ・ノルマンが指摘しているが(12)、これらの論文群においてバンヴェニストが好んで用いる説明装置が「外的／内的」「客観的／主観的」という対立なのである。

3　中動態の先行研究

「中動態」あるいは拡げて印欧語における「態」の問題は、バンヴェニストの中動態論文以前にはどのように扱われていたのだろうか。別の言い方をすれば、このトピックは一九五〇年ごろ、ホットなトピックだったのだろうか。

バンヴェニストは論文のなかで先行文献を数点挙げている。パーニニ、デルブリュックである。『パーニニ文典』[13]は、バンヴェニストの親友ルヌーが一九四八年に仏語訳を上梓しており、中動態論文が書かれたころはフランスだけでなくヨーロッパで、多くの学者たちが話題にしていた著作である。パーニニの態の区別は、「他者のための語（能動）」、「自らのための語（中動）」というものだったが、「その時代としては感嘆すべき見識をもって」（170／一六七）能動／中動の区別をたてている、とバンヴェニストは好意的に言及している。一方デルブリュックの『インド＝ゲルマン諸語比較統辞論』[14]も、中動態のみを持つ動詞（media tantum）を記述している稀な考察として、註のなかで取り上げられている。しかしバンヴェニストは「一般的な定義を目指すかわりに事実を細かく分類していくつかの小さな意味の範疇をたてている」と、このデルブリュックの著作の問題点を指摘している。パリの言語学者の目的は、意味範疇のリストを作ることにはなく、対立構造を明確にすることだからである。

明確な参考文献は挙げられていないが、バンヴェニストが中動態を記述するうえで意識していたと思われる論考は（上述したコペンハーゲン学派の論考や、パーニニ、デルブリュックの他に）いくつか考えられる。

（1）カール・ブルークマン『印欧語比較文法小書』（一九〇四）

ゴシック語専門家のアンドレ・ルソーは、「バンヴェニストの中動態の定義は彼が名前を挙げるデルブリュックではなく、同じ青年文法学派のブルークマンの定義に似ている」とする。[15] ブルークマンの定義は、以下のようなものである。

中動の屈折しか持たない動詞：それらは行為、プロセスや状態も示すが、とりわけ主辞の圏域〔Sphäre〕のなかで展開されるものを示し、そこにおいて主辞全体は「影響を受ける者＝関係する者」として現れる[16]〔……〕。（598）

しかしより興味深いのは、ブルークマンが「主辞の圏域」について言及していることである。「圏域」というトポロジカルな用語の使用こそが、バンヴェニストに引き継がれている、と見てもいいだろう。ブルークマンはこの定義を、中動のみの動詞（media tantum）から引き出していることにも注意を促しておこう。

(2) アントワーヌ・メイエ「動詞の特徴について」[17](一九二〇)

バンヴェニストの師メイエが、中動態論文の三十年前に『フランス国内外哲学誌』に載せた論考である。この長大な論考のなかで、メイエは印欧語の動詞の一般的な特徴について説明し[18]、能動/中動の対立にも触れている。メイエによれば、この対立は印欧語の際だった独自性の一つである。

メイエはまず、そもそも印欧祖語において、なぜ対立構造が「能動/受動」ではなく「能動/中動」だったのか、その意味について問うている。メイエによれば、この言語においては、動詞過程(事行)はふつう actif な形で、また多かれ少なかれ人(称)的 personnel かつ限定された(défini)動作主の介入の結果として示されたからである[19]。印欧祖語の動詞過程は、介入する動作主を示すのが一般的だったということだ。このように過程を多少なりとも人(称)的な存在の行為の結果として表すような言語においては、この過程がそれを生みだすものとの特別な関係を持つのかどうか区別するのが当然で、それが能動と中動の区別の必要性だった、とメイエは言う。つまり、動詞過程が動作主と特別な関係を持つ場合が中動で、そうでない場合が能動、というわけである。

メイエは、「能動/中動」の定義としては、次のように述べる。「〝能動〟は、〝主辞〟がとくに関心を抱いているわけではない過程を示し、〝中動〟は主辞がある必要性をもって関心を抱いている過程を指す」(19)。要は、バンヴェニストが中動態論文のなかで批判する「関心」という表現で説明されているのである。しかしここで注目しておきたいのは、メイエが中動態の動詞過程の意味する活動を「内的活動」と表現している箇所である。

例えば「行く」という意味の動詞は、能動にしか使われない。よってサンスクリットでは emi（私は行く）であり、ギリシャ語では *eimi* である。「心を取り乱す、考える」のような動詞は、主辞の内的活動を表しているので、つねに中動である。よってサンスクリットでは *manye*（私は考える）であるし、ギリシャ語では *mainomai*（私は取り乱す）である。（19）

この「内的活動」という表現は、バンヴェニストが後に「外的／内的」という説明図式をたてる際の参考になっただろうと考えられる。メイエがここに出している例とフランス語の訳文も、バンヴェニストの提示する例に繋がるものが認められよう。

（3）イェジ・クリウォヴィチ「印欧語とヒッタイト語の中動的屈折」[20]（一九三二）

クリウォヴィチはソシュールのソナント仮説をヒッタイト語の資料から証明したことで有名であるが（一九二七年）、その同じヒッタイト語を用いて、態の問題にも取り組んでいる。印欧語の古層を残すヒッタイト語には中動態が比較的多く現れているからである。

一九三二年の非常に短い論考の中で、クリウォヴィチは動詞屈折がどこから生まれているか、という問いを最初に立てる。そして動詞屈折の形態関係を、機能関係から説明しようとする。彼の仮説によると、中動態の動詞屈折は、ヒッタイト語などの資料を見る限り、古い印欧祖語の完了形の屈折から来ている。そしてこの完了の古い形態が、能動態の屈折の影響を受けて、中動態の屈折となったのではないか、と主張している。この説は現在、最も信頼できる仮説とされているようである。[21]

なお、このクリウォヴィチの論文に触発されてか、バンヴェニストは翌年「-mno- の形をとる印欧語分詞[22]」(一九三三)という論考を発表し、中動態と完了の繋がりについて書いている。

(4)ギュスターヴ・ギヨーム「フランス語にデポーネントは存在するか[23]」(一九四三)

この比較的長い論考は、当初、雑誌『現代フランス語(*Le français moderne*)』(一九四三年一月号)に掲載され、後に『ことばと言語科学(*Langage et science du langage*)』(一九九三)に所収された。フランス語とラテン語から例を引いているため、フランス語話者の読者にはよく知られた論考となっている。

ここでギヨームは態を「分析的態/統合的態」の二種に分け、ラテン語のデポーネント(形式所相動詞:形は受動態だが能動態の意味をもつ)は統合的態であるとする。そしてフランス語の「死ぬ mourir」という動詞とラテン語の形式所相動詞 morior(受動態 mortuus sum は「私は死んだ」の意味になる)を比べ、二つは同じタイプであるゆえ、フランス語にもデポーネントは存在する、と断言する。同じように、フランス語の「生まれる naître」「入る entrer」「出る sortir」「出発する

partir」もデポーネントの名残とされる。

ここからギヨームは、中動態がなぜ統合的態と呼ばれるのかを、「二つの状況の連合」という言葉で説明しようとする。

> 印欧諸語における中動は、心理的な観点からすれば、二つの状況——主辞にとっては動詞の表す過程を導くことにある状況と、この最初の状況のもと消えかかっている逆の状況、すなわち動詞の表す過程そのものにおいて、主辞が**導かれる**ようにみえる状況——の、完全な連合の結果である。
>
> この連合をつかさどる非常に自然な原則——そこにこの理論のいいところがあるのだが——とは、もし一方で我々が出来事を推し進めているのだとしたら、他方で、出来事のほうも、我々がそれを動かしているつもりでいても、我々を多少なりとも推し進めているということである。
>
> (134. 強調は原著者)

右にひいた箇所では「導く」、「導かれる」、「我々が出来事を推し進める」、「出来事が我々を推し進める」等の表現が用いられており、二つの作用が重なり合う状況——それをギヨームは統合的と呼んでいる——のなかに主辞がいる、としたのがギヨームの中動態の定義である。ここで中動は、能動と受動の間におかれているようである。

4　バンヴェニストの中動態の定義

バンヴェニストが中動態論文を発表するのは、『心理学誌』である。ピエール・ジャネ、ジョルジュ・デュマが創刊した、伝統あるこの雑誌は、心理学だけでなく様々な領域の専門家を招いて特集号を組むことがあり、バンヴェニストの師メイエもこの学術誌の言語学特集に頻繁に顔を出した執筆者の一人であった。一九五〇年の特集は「文法と心理学」という興味深いタイトルで編まれている。この号の目次には、バンヴェニストの他にも、ヴァンドリエス、イェルムスレウ、マルティネ、ビュイッサンス、M・コーエン、マルゾーなど、錚々たる顔ぶれが並んでいる。同じ号のなかでは、ハンス・フォークトが態の問題を「動詞における能動－受動の問題の一側面」というタイトルで取り上げている。

それでは実際に、バンヴェニストがどのように中動態を定義しているのか、論考から抜き出してみよう。

〔最初の問題設定〕

今日までのところ、言語学者たちは、明言すると否とにかかわらず、一致して、中動態はサンスクリット *yajati* と *yajate* やギリシャ語 *ποιεῖ*「作る」と *ποιεῖται*「自分のために作る」のように両系列の屈折語尾を共に受け入れる形――これはいくらでもある――から出発して定義すべきであると考えてきた。〔……〕しかしこの方法だけが可能な唯一の方法というわけではない。〔……〕これらただ一つの態をもつ動詞〔activa tantum と media tantum のこと〕は能動態あるいは中動態としての特徴があまりに強いために、他の動詞がとりえた二つの態を受け付けることができなかったのだと見なすことができる。少なくとも一つの試みとして、なぜこれらの動詞はそれほどの抵抗を示したかを探求してみるべきである。（171／一六八）

〔能動のみ（activa tantum）、中動のみ（media tantum）の動詞に関して〕

このように〔能動と中動を〕並べて挙げてみることで、主辞と過程のあいだの関係にまつわる、まさに言語学的な区別がかなりはっきりと現れてくる。能動において、動詞は、主辞から発してその外で完遂するような過程を表している。これに対峙する態として定義されるべき中動においては、動詞は、主辞が過程の座となるような過程を示している。主辞は過程の内部にある。（172／一六九）

〔be 動詞の〕"être"は、印欧語では、「行く」や「流れる」のように、主辞の参与が必要とされない過程なのである。この〔能動の〕定義は、消極的である限りにおいて正しいだけであるが、それに対して中動の定義は積極的な特性を持つ。ここでは主辞は過程の場所である。たとえこの過程が、*fruor*（ラテン語：楽しむ）や *manyate*（サンスクリット：熟考する）の場合のように、目的語を必要とするとしてもである。主辞は過程の行為者であると同時に中心でもある。主辞は何かを成し遂げるが、その何か——生まれる、眠る、うめく（苦しむ）、想像する、成長する、等々——は主辞のうちに完遂する。主辞は、彼が動作主であるところの過程のまさに内部にいる。

（172／一七〇）

〔能動／中動の二つの態を持つ動詞について〕

能動はもはや、ただ中動を欠いているだけではなく、まさに能動、行為の産出であって、よりはっきりした形で主辞の過程に対する外の位置を明らかにしている。そして中動は、過程の内部としての主辞を明示していくことになろう。

（173／一七一）

このような対立のセットは、いくらでも多様に展開できるし、ギリシャ語はこれを驚くべき柔軟性でもって利用している。こうした対立は結局のところ、主辞が過程の外部にいるか内部にいるかによって過程に対する主辞のポジションを位置づけ、そして能動の場合は主辞が為すことにしたがって、中動の場合は主辞が自ら影響を受けつつ為すことにしたがって、動作主としてのこの主辞を形容することにつねに帰着するのである。この定式は、この形態の意味作用にも定義というものの要求にも答えているし、また同時に、捉えどころがなく、かつ言語外的な概念である、主辞の過程に対する「関心／利益 intérêt」といった概念を用いずにすませられることにもなりそうである。(173／一七一)

〔結論部分において〕

しかし《能動》と《中動》という用語のかわりに《外態》と《内態》という観念を用いることに定めるならば、この範疇は、動詞がになう範疇の群の中で容易にその必然性を取り戻すことになる。この態は、人称と数と結びついて動詞の屈折語尾を特徴づけるものとなる。つまり同一の要素内に一まとめになって一つの全体を形成する三つの指向があって、これらは、三者三様に過程に対して主辞を位置づけており、これらの結合によって主辞の姿勢の場とでも名づけるべきものが規定されているということになる。(174／一七二)

バンヴェニスト以前の中動態の定義と上にあげた定義とを見比べてみると、彼の定義のほとんどの側面は、先達の定義に幾分重なっていることが分かる。ただし、ある一つの定義にぴったりと重なっているわけではなく、部分部分で中動態の特徴を借りてきて、パッチワークのように繋げている感じである。例えば「能動／中動」の対立を強調するのは、師メイエの定義を踏襲しているといえるが、一方バンヴェニストはメイエのように主辞の「意図、関心」を持ち出さず、それを避けようとしている。また主辞の場所を強調するような文章は、ブルークマンの定義「とりわけ主辞の圏域のなかで展開されるもの」に近い言い回しであり、中動態のみの動詞（media tantum）に注目するのも、ブルークマンやデルブリュックの方向性に近い。そうかと思えば、「主辞が自ら影響を受けつつ為す」という考え方は、ギヨームの「出来事を導きつつ導かれもする主辞」に似たところがある。言ってみれば、バンヴェニストの中動態の定義の独自性の一つは、この「寄せ集め」の作業にあるとも言えそうである。

しかしこのパッチワークのような作業から、バンヴェニストの中動態の定義に固有のものが浮かび上がってくる。ここでは三つにまとめてみよう。

一、まずは最初の問題設定の新しさ——「能動／中動」の区別にどのような意味づけをあたえるべきか——があげられる。中動態はかならず能動態との対立において定義されており、また能動も、中動と対立したときには、受動に対立したときと同じ意味をもつことはありえない、とバンヴェニストは語る。ここでは中動態のみが定義されていることはなく、あるいは能動と受動と一緒に、第三の（あるいは中間の）態として定義されていることもない[24]。また言ってみればこの分析は共時論的な視点——印欧語において能動／中動の対立が成立していた一時期を観察する——でなされており、その時代の前（中動態が完了形と関係していたこと）や後（受動態との関係）についてはほとんど言及がない。言ってみれば、ある一つの対立が体系内で持ちうる意味を共時論的に捉えようという、ソシュール主義的な手法が明確に現れたものと見なすことができる。

二、従来は二種類の屈折を生みだす形態に、能動／中動の区別をつける端緒があると思われてきた。その結果、「彼は他の人のために犠牲を捧げる yajati」「彼は自分のために犠牲を捧げる yajate」に代表されるような例から引き出せる結論として、「他者のため／自己のため」、「関心・利害関係 interêt の向き」という言葉で、対立が説明されていたのである。しかしバンヴェニストはブルークマンやデルブリュックに倣う形で、最初に「能動しか持たない動詞 activa tantum」「中動しか持たない動詞 media tantum」を取り出す方針をとる。「なぜこれらの動詞は［二つの態をもつという方向に］抗いつづけたのか」（*PLG1*, 171. 強調は引用者）と問うのである。そもそもここでの主辞は主体ではないのだから、気持ちや意図を推し量るようなことはできない。「利害関係」をもちこむ解釈から離れるためには、いったん二つの態をもつ動詞を無視して、能動のみ・中動のみの動詞群をリストアップし、そこに現れる「とりわけ能動的な性質」「とりわけ中動的な性質」を見極める必要があったと言える。そこから現れてくるのが、次の三点目で取り上げるようなトポロジカルな性格をもつ定義となっている。

三、能動／中動の対立は、意味論的に定義づけられているが、その定義は多分にトポロジカルな捉え方である。外部／内部、という対立だけでなく、主辞の「座 siège」や「場所 champ」、「位置 position」、「中心 centre」といった用語がそれを強調している。これもおそらくは activa tantum/media tantum をまず検討したことから出てきた特徴だと思われる。同じ方針をとったブルークマンも、似たような用語で中動態を定義づけている（主辞の圏域に自らの場を持つ）からである。さらにバンヴェニストは「態」のみでなく「人称」と「数」という範疇も、三つが三者三様に「主辞の姿勢の場 champ positionnel du sujet」を形成すると述べる。ここにもトポロジカルな定義のありようがよく現れている。

この三番目の、主辞と過程の関係におけるトポロジカルな記述に関しては、少し時間をかけて読み込むことが必要であろう。中動において、主辞は過程がすまう座、場所だと言われる。一方で、主辞は過程の内部におり、その中心にあるとも描写されている――それに対して能動の主辞は過程の外部にある。この奇妙な記述をどのように理解すればよいのだろうか。

この矛盾とも思われる叙述を理解する手掛かりの一つは、「過程 procès」をどう捉えるか、にあるようだ。中動態論文でも多用されているこの術語は、フランス言語学に特有のもので、現在は「事行」と呼ばれることが多い。広義では動詞の表す意味観念、「主辞に起こっていること」を指し、行為や動作、状態変化などの観念を意味するが、狭義では行為動詞の観念を指す。バンヴェニストは広義の意味で使っている。[25] この過程が表す意味観念そのものは、前述したように大きく分けて状態・行為(・状態変化)があるが、非常に多岐にわたっている。行為動詞一つをとっても、そのなかには、一連の行為(「結婚する」)を指すと解釈できるものもあれば、一瞬の動作(「飛び出す」)と捉えられるものもあるからだ。しかし過程(procès)と名づけられている限りにおいて、たとえそれが一瞬の動作を表すにせよ、何らかの動きとその進行が想定されていると見てよいだろう。

とりわけこの能動態/中動態の対立において、バンヴェニストは中動を「主辞は何かを完遂するが、その何かは彼のうちにおいて完遂される:生まれる、眠る、呻く、想像する、成長する、等。

主辞は彼自身が動作主であるところの過程の内側にいるのである」(172／一七〇)と説明するが、この「完遂する accomplir」という動詞は、もともと「満たす、いっぱいにする」という意味でもある。何かを一挙に満たすことはできない。そこには必ず「満たしていく」というプロセスが生じている。つまり、過程というのは、それが状態を示すにせよ、「固定された場所」のように捉えられるものではなく、何らかの動きを持ち、さらに付け加えるなら複数の段階、ステップ、審級が想定されるものなのである。

もう一つ、「内的／外的」という用語を動的に、いや、力動的に捉える必要があることを示すものがある。それが、バンヴェニストの説明に垣間見られる「影響」「巻き添え」という用語である。中動態の例文は次のように訳されている。"il porte des dons qui l'impliquent lui-même"(彼は彼自身が巻き込まれる〔彼自身に関係する〕寄与を運んでいる)、"poser des lois en s'y incluant"(自分自身もその適応範囲に含まれる法を設ける)、"il fait la guerre où il prend part"(彼は自らも参加するところの戦争をする)。そして能動／中動を定義しようとして以下のように述べていることは既に見たとおりである。「こうした〔能動／中動の〕対立は結局のところ〔……〕能動の場合は彼が為すことにしたがって、中動の場合は彼が自ら影響を受けつつ為すことにしたがって、動作主としてのこの主辞を形容することにつねに帰着するのである」。このように、主辞と過程の位置づけは、不動のものではなく、影響関係や巻き込む／巻き込まれる関係を指しており、その意味で「内的・外的」という用語の意味を捉えるべきなのである。言い換えるなら、「内的」とは主辞が内側に巻き込まれていくような動きであり、「外的」とは主語が巻き添えの動きに関わらない、参与しないことを意味していると言えよう。(26)

もう一度整理してみよう。中動態の動詞において、「過程の内側に主辞がいる」あるいは「過程の中心に主辞がいる」とバンヴェニストが言うとき、どのようなことが考えられているのか。一つの過程がある観念を表しているとする。その観念は、主辞から発しつつ、主辞を含み、主辞に影響を与えるものである。同時に主辞は、作用者（agent）としてそれに参加＝関与（participation）もしている。したがって、バンヴェニストがトポロジカルな用語で強調している能動／中動の対立は、図式的に固定して捉えられるものではなく、動きのあるものとして、そしてそのなかで作用や影響といった力がはたらいているものとして捉えられる。実際、バンヴェニストも動詞 "effectuer"（操作・作用を行う）、"s'affecter"（影響を受ける、心を動かされる）、"impliquer"（巻き添えにする）のような用語をつかっている。例えば動詞の過程が「留まる」や「眠る」のような、一見静止しているような観念を表しているとしても、その過程のなかで、主辞と過程は、影響を絶え間なく保ち続ける緊張関係にある、と考えてよい。それが、主辞が過程の内部にある、という意味であり、また主辞が過程の座である、という意味でもあろう。

この解釈――バンヴェニストの中動態の定義文にあらわれる「内と外」「中心」等のトポロジカルな用語を、力動的に捉える――をさらに推し進めると、バンヴェニストの定義の独自性として見えてくるものがある。能動においても中動においても、主辞はあるエネルギーの発信点であるが、中動態においては、主辞のエネルギーは過程のエネルギーと緊張関係にあるのだということは指摘した。主辞は過程の場・座でもあるのだから、これは主辞自らの圏域に別のエネルギーがはたらき始めている、ということである。ここにおいて、過程はまるで主辞の体に巣くり、主辞の内部で主辞を変容させる力のようなイメージで捉えることが可能になる。多分に主辞の感情や気持ちの持ちように注目した従来の能動／中動の対立解釈――「他者への関心／自己への関心」――と比べてみると、ここにはむしろ身体的、フィジカル、とも呼べるような反応がはたらいているのが分かる。その反応は、ポジティブな観点からは「内部に変化が生じる」「刺激を受ける」と言い表せるかもしれないが、ネガティブに見るならば、「巣くわれる」「巻き込まれる」とも言い表せよう。

生まれる、死ぬ、ついて行く、主となる、横になる、座る、馴染みある場所に戻る、享受する、苦しむ・耐え忍ぶ、動揺を感じる、講ずる、話す――バンヴェニストが引いている中動態のみの動詞（media tantum）を眺めわたすと、確かにそこには主辞の内部に非常な緊張が働いて、身体的な反応を引き起こすまでになったり、ある動きに取り込まれてしまうはたらきが認められる。バンヴェニストが中動態の定義において用いる「場」としての主辞は、いわば乗っ取られており、移動や変容を余儀なくさせられている。そのような意味で、主辞は「巣くわれた中心」となりうるのである。

結論に代えて——「中動態」はどこへ向かうのか

一九五〇年の中動態論文の段階で、「主辞 sujet」は「主体 sujet」ではない。論考中に出てくるこの用語は、あくまでも文の要素としての「主辞」であり、文の外の存在、言語を用いている「話す主体」のことではない。またこの「主辞 sujet」は「人称 personne」(それが一人称であれ、非人称であれ)とは別物である。いかに「態」と「人称」、「数」の三範疇が一体となって「主辞の姿勢の場」を形成しようと、この三つは別様にはたらくのであって、例えば「ある態」が「ある人称」と親和的に結びつくような関係をバンヴェニストはほのめかしていない。

それではバンヴェニスト言語学のなかでは、「中動態」の問題はどこに向かうのだろうか。中動態論文以降、バンヴェニストが正面切って再び「能動態/中動態」の対立を扱うことはなく、この問題は幾つかの関連する論考にちらちらと顔を出すのみとなる。

例えば「思考の範疇と言語の範疇」(Benveniste 1958a) は、思考と言語の関係というサピア＝ウォーフ的主題をバンヴェニストなりのやり方で鮮やかに論じてみせた論考であるが、ここで中動態は、アリストテレスのカテゴリー論を解釈するうえでギリシャ語の知識が欠かせないことを示す証左として使われている。また、後の言語研究に明確な繋がりがあるのは、『一般言語学の諸問題』でも中動態論文の後に置かれている、「他動完了の受動構築」(Benveniste 1952)、「《Être》と

《avoir》の言語機能」(Benveniste 1960)であろう。とくに後者の論考で、バンヴェニストは二つの最重要動詞“être”と“avoir”の意味や役割について論じているが、私たちにとって重要なのは、二つの動詞の対立の説明の仕方が、ここでもやはり「外在的関係/内在的関係」という、態の対立と同じような用語で説明されていることである。態の問題に関して言えば、二つの動詞が「受動態」を受け付けず、それは両者とも完了形を作る際の助動詞として使われる事実と関連づけられている。また印欧語研究関連で特筆すべきなのは、『ヒッタイト語と印欧語』(Benveniste 1962a)だろう。このなかの動詞の完了形や分詞を扱う項のなかで、中動態は「中動-受動態 media-passif」として姿を現している。その他、彼は中動態の動詞と言われる若干の動詞(ギリシャ語の“μνάομαι”(思い出す)や印欧語の *for(話す))について、比較言語学的論考のなかで論じてはいるものの、そこではこれらの動詞が中動態であることは焦点化されない。

さりながら五〇年代後半、バンヴェニスト言語学が「ことばを話す」ことの意味や、発話行為とことば自体の関係を問う方向に向かっていくなかで、中動態の問題は、その方向を導く一つの伏線となっている。実際、バンヴェニストが四〇年代から五〇年代前半に考えていたラング内部の「主辞の傾性/圏域」というテーマは、ラング内部から飛び出して、ディスクールという次元を開いていく。「各々の話し手が自らを主体(sujet)として設定し、自分のディスクールのなかでわたし(je)としてみずから自分自分を指し示すことによってしか、ことばは可能とならない」(260/二四四、強調は原著者)と一九五八年の論考(Benveniste 1958b)では宣言されている。このときに主格の一人称代名詞"je"は話し手と一致していくのであるが、このような「ことばにおける主体性」は、代名詞「わたしje」のなかだけに宿っているのではない。動詞の屈折語尾のなかに、名詞形成のなかに、また時制表現や前置詞の対立のなかにも宿っているのであって、その最も明らかなものが主格を表す一人称代名詞なのだというだけである。ラング内部の至る所に「主辞性」が刻印されており、話し手がそれを専有化しやすいようになっている——一九五〇年代前半までに深められていた知見が指し示す方向性を、五〇年代後半のバンヴェニストの論考は明らかに追っているのである。[27]

＊

ここで私たちは、「思考の延長線」という考え方を提起してみたい。バンヴェニストの中動態の定義が示す「ことば」の思想を、その方向性を考慮しながら、思想の指さす先には何がありうるか、と考えるやり方である。上に述べた「ことばにおける主体性」の問題は、明らかに中動態の思想の延長線上にあり、二つの問題には線がひける、と考えられる。

それではこの延長線をさらに伸ばす、あるいはそこから別の線を引くことができるだろうか？バンヴェニストの印欧語比較研究や一般言語学の枠を超え、また言語学自体の領域を超えて、哲学や思想の問題と結びつけることはできるだろうか？　こうした更なる線の引き延ばしは、その先にバンヴェニストの置いた明確な一点が見えない限り、引きにくいものではある。しかしあえて言うなら、言語の問題が思想の問題になるのは、この延長線上からなのであり、またバンヴェニスト自身もそのような「言語の問題の先」を考えることを促していると思われる。[28]

いくつかの方向性が考えられるだろう。中動態においては、積極的に行為を行う動作主は存在せず、むしろそれは、動作主でありつつ、別の力に巻き込まれるような動きをとるものであった。ここから「意志」や「責任」の問題に、あるいは「非人称」の問題圏に移るのはたやすい。また、中動態はもともとは完了形だったということから、時制の問題や物語論に繋げるのも無理がないわけではない。[29]

このようないくつかの延長線（それは点線だったり、単にぼんやりと方向を指す矢印だったりするかもしれない）のうち、最も正当で説得力があると思われる線、それは「中動のみの動詞 media tantum」の意味を考えることではないかと思われる。この特殊な動詞グループから、バンヴェニストは（パッチワーク的な部分があるとはいえ）彼なりの表現法で能動／中動の対立を定義しているのであり、なぜこのグループが「能動の形をとることに抵抗を示したのか」というのが彼固有の問いでもあったからだ。[30] 同じように、なぜある種の動詞が能動態のみ（activa tantum）なのか、という問いの可能性もありえる。

私たちが本論考の次に考えたいのは、「話す」を中動態のみの動詞（media tantum）と捉えるとき、それはバンヴェニストの言語思想とどのように繋がるのか、という問いである。実際、中動態論文の後に書かれる「フロイトの発見におけることばの機能について」（一九五六）では、「話す」という行為を"s'historiser"（自らを物語化＝歴史化する）と再帰代名詞的に言い換えている箇所があり、また『語彙集』では「話す」の印欧祖語と言われる*forが意味する行為について、その意味範囲を探っているからである。しかしこれは別の問いであり、また別の場所を要する考察になるだろう。

【註】

（1）　Folio 370, Boîtes Orientalistes 34.

（2）　Barthes 1966.

（3）　このシンポジウムの参加者のなかで、唯一リアルタイムで「中動態論文」を読んでいたと思われるのはジャン＝ポール・ヴェルナンである。彼は「心理学の雑誌に載っていた論文ですよね」と確認し、またそれを正しくバンヴェニストの著作『印欧語における作用主名詞と行為名詞』（1948）に結びつけている（Cf. Macksey and Donate 1970）。なお、このシンポジウムの質疑応答を始め、中動態をめぐるバルトとデリダ、そして國分功一郎の議論に関しては、郷原（2018-2019）の一連の論文に大きな示唆と教示を受けた。

（4）　バンヴェニスト自身が「言語学における《構造》」（Benveniste 1962b）という論文で明らかにしているように、すでに一九二九年から「構造」という言葉はプラハ学派によって用いられ、また一九三九年に創刊されたコペンハーゲン学派の学術誌 *Acta linguistica* は別名『国際構造言語学誌』とも呼ばれている。しかしバンヴェニストは、「構造的手法 méthode structurale」に対して賛同の意を表す時期があったにせよ、「構造主義 structuralisme」という名称にはつねに距離をおいていた。したがってここではソシュール主義、あるいは構造的手法という用語を用いることにする。

(5) *Problèmes de linguistique générale, I* (*PLGI*) 中の論文で、邦訳が『一般言語学の諸問題』(みすず書房、一九八三年) にあるものは、まず *PLGI* の頁数 (アラビア数字)、次に邦訳の頁数 (漢数字) を記した。訳文に関しては上記の邦訳を参照させていただいたが、一部、訳語を変更している箇所もある。

(6) Tatsukawa 1995.

(7) この「主辞」は、フランス語 "sujet" の訳語であるが、中動態論文あるいはその前後の論文のなかでバンヴェニストが用いる文法用語がまだ「主体」になりきっておらず、しかも文法的な「主語」のみを指しているとも言いがたいところから、文法と論理学の用語である「主辞」をここでは訳語として用いる。中動態論文においては、この主辞は、「動詞・述語」の表す観念を意味する「過程 procès」と対概念になっている。なお本書では動詞の「過程」と統一して訳してある文法用語 « procès » は、近年のフランス言語学の領域では「事行」と訳されることがほとんどである。

(8) バンヴェニストにおける「ラングの中の主体性 la subjectivité dans la langue」に関しては、すでに以下の論考で指摘したことがある。Cf. Ono 2018.

(9) ここで言及されている三つの参照軸は、一九五〇年の時点で全てバンヴェニストによって研究されている。人称に関しては「動詞における人称関係の構造」(Benveniste 1947)、数に関してはコレージュ・ド・フランスでの一九三九年の授業 (草稿ノートあり)、そして態に関してはこの中動態論文である。

(10) ちなみに中動態論文の前年に発表されているこの論文は、「主辞の傾性」のような表現だけでなく、内容的にも中動態論文と深い関わりがある。ここでバンヴェニストはゲルマン諸語における、奇妙な動詞 (完了の形を取りながら、現在の意味を表す動詞）の形成について述べており、この完了形は印欧語の先史時代の古い形が残されたものだろうとしているからである。この後のセクション、先行研究の項でも瞥見するが、こうした動詞はクリウォヴィチらが言及した「中動態の古い形」に他ならない。バンヴェニストの弟子筋にあたるフランソワ・バデールは、こうした完了形は「バンヴェニストのいう media tantum のリスト中に入るべきだった」だとしている。Cf. Bader 1997.

（11） 被制辞 régime：文中で動詞や前置詞などの他の語の文法的支配を受ける名詞または代名詞（『ロベール仏和大辞典』より）。

（12） Normand 1989.

（13） Panini (b.c. 400) 1948.

（14） Delbrück 1893-1900. バンヴェニストはこのうちの第二巻を参照している。なお、デルブリュックの態の記述の訳出に関しては北條彰宏氏の、ブルークマンのそれに関しては粂田文氏の手を煩わせた。ここに合わせて感謝の意を記したい。

（15） Rousseau 2014.

（16） Brugmann 1889, 1904².

（17） Meillet 1920.

（18） この論考のなかで、メイエはまず動詞の「過程 procès」とは何かを説明し、そして自動詞・他動詞の区分についても論じている。そのうえで態の問題に転じ、受動態についても重要な指摘を行っている。メイエによれば、受動態の真の役割は、「動作主が考慮されない」ような意味過程を表す。よって受動は能動の裏返しではない、とメイエは主張している。

（19） ちなみにメイエは動作主が人格化している例として、フランス語とヴェーダ語を比較して以下のように述べている。

「今日のフランス人が「風が吹く」"il vente"という時、ここではまさしく「非人称」の動詞が問題になっている。用いられている形態は、単に「風が吹く」を意味しており、いかなる限定された人格も参照していない。しかし、ヴェーダ語時代の詩人が vâti と言うとき、彼は vâyu（風であるが、かつ人格をもった、神であるような動作主）が「風を吹かせる」という自身の特別な活動を行うことを言いたかったのである。言語学的に見れば、二つの文構築は同じように見える。しかしこの二つは、お互いにまったく異なった心性（mentalité）を持っている」(20)。

現代であれば「非人称」と説明されているような言語現象において、古代言語における動作主は神的な存在を表しているとメイエは指摘している。

(20) Kurylowicz 1932.

(21) 松本克己は類型論的な視点から、次のようにまとめている。「このように、「完了」はアスペクト的には状態動詞として、diathesis としては中動態に近いものとして性格づけられることは、ギリシア語やヴェーダ語の資料によって早くから認められていたが（Wackernagel 1926: 166ff., Chantraine 1927）、形態的な面からこの「完了」と「中動態」が実は同じ起源に遡ることが、新たに出現したヒッタイト語のデータによってはじめて明らかとなり、印欧語の動詞活用組織に対する理解はこれによって急速に深められることになった。ちなみに、この事実を最初に指摘したのは、Kurylowicz(1932) そしてこれと独立に Stang(1932) である。〔……〕そして、このような語尾によって区別されるのは、能動・受動という対立でもなく、また、他動詞・自動詞という差別でもなかった。便宜上「完了／中動」と呼ばれる語尾をもつ動詞は、古いギリシア語やヴェーダ語の「完了」によってはっきり確認できるように、まさしく状態ないし静態動詞と名づけてよいものであり、そこには積極的に行為を行う動作主は介在しない。このような動作主を介在させる行為を表す動詞は、能動語尾 -m, -s, -t 等によって表され、これがすなわち、行為ないし動態動詞にほかならない。」（松本 2006: 54-55）

(22) Benveniste 1933.

(23) Guillaume 1974.

（24）　中動態論文以降に著された『ヒッタイト語と印欧語』（Benveniste 1962a）では、「能動」に対峙するものとして「中動－受動 media-passif」という名称を用いている。

（25）　過程は「起こっていること」の観念だけ表すが、動詞全体は、この意味観念に時間性や経過・順序の観念を適用する。過程を現働化させる、つまり時間性を与えるには、接続法や条件法は適さず、直説法のみが適している、と言われる。メイエによれば、印欧語においては「現在」は過程の発展を示し、「アオリスト」は単に純粋な過程を表し、「完了」は完遂された過程を表す。

（26）　実際、バンヴェニストより後になるが、クリモフは動格型の態の対立を遠心（centrifugal）と非＝遠心〔求心〕（non-centrifugal）の区別とし、動作主と過程の動きを、「渦」「巻き込み」のイメージで語っている。Cf. Klimov 1977（クリモフ 1999）.

（27）　それでもなお、「主辞」が「主体」となり、「話し手」となるには、ある跳躍が必要である。私たちは幾つかの考察において試みてはいるが、その跳躍の瞬間をまだ特定できていない。時期的には一九五六年に発表される「代名詞の性質」と「フロイトの発見におけることばの機能について」の頃かと推定される。

（28）　例えば『インド＝ヨーロッパ諸制度語彙集』（一九六九）の中で、「自己 soi」という概念の元となった語彙*swe の形成について、バンヴェニストはそこに二通りの概念（自分の身内への集まりへの帰属と自分を個別存在と特定化）としたあと、次のように述べている。「こうした概念の寄与するところは、一般言語学にとっても哲学にとっても明らかである」（*Vocabulaire des institutions indo-européennes*, I, 332）。本稿冒頭のエピグラフに引いたように、バンヴェニストにとって「ことばについて考えること」は言語学者と哲学者双方の業であり、しかも危険を伴う仕事であった。

（29）　バンヴェニストにおける「中動態」の思想と、いわゆる彼の「ディスクール理論」と呼ばれる「歴史叙述／ディスクール」の対立の関係をより詳しく扱うためには、別稿を要するだろう。郷原の四本の論考（2018-2019）がまとめているように、バンヴェニスト言語学が一般に膾炙した後、物語論の理論家たちは二手に分かれ、いずれも自分たちの理論化の支えとしてバンヴェニストの中動態という概念を用いている。しかし上に見たように、バンヴェニスト自身は「中動態」に関する考察を「ラング」内部の主体性の装置の一つとして見ており、この二つの問題圏は一直線には結びつかない。だが更に細かく見ていくなら、「中動態」の思想には、一方で「ことば（ランガージュ）における主体性」の思想を呼び覚ます要因と、もう一方で非人称の思想（より正確には非＝個人の思想）に流れ込む要因の二つが見受けられると言えるのではないか。

(30)　そのように見たとき、ギリシャ語の「使う χρῆσθαι」に注目するアガンベンがバンヴェニストの中動態概念に依拠するのは、正当な理由づけがあると言うことができる。一方、冒頭にひいたバルトは「書く」という動詞を中動態的に捉える、という思考を提起したが、実際には印欧諸語の「書く écrire」は中動態に繋がることはない。ただ彼は「死ぬ mourir」という動詞を巡ってもデリダと意見を戦わせているが、これをデポーネント（deponent）として捉えるなら、この動詞は（バンヴェニストではなくギヨームを通じて）中動態と関連性を持ってくる。エクリチュールと中動態が結びうる関係については、本書所収の郷原佳以の論文が考察している。

【参考文献】

1　エミール・バンヴェニストの著作・論考

BENVENISTE Émile

1933. « Le participe indo-européen en *-mno-* », *Bulletin de la Société de linguistique de Paris*, t. XXXIV (1933), p. 5-21.

1948. *Noms d'agent et noms d'action en indo-européen*, Paris, Maisonneuve.

1949a. « Sur quelques développements du parfait indo-européen », *Archivum Linguisticum*, 1, fasc.1, 1949, p.16-22.

1949b. « Le système sublogique des prépositions en latin », *Travaux du Cercle linguistique de Copenhague*, vol. 5 (1949), repris dans Benveniste 1966, p. 132-139.

1950. « Actif et moyen dans le verbe », *Journal de Psychologie normale et pathologique*, janv.-fév. (1950), repris dans

Benveniste 1966, p. 168-175.

1952. « La construction passive du parfait transitif », *Bulletin de la Société de Linguistique de Paris*, t. XLVIII (1952), repris dans Benveniste 1966, p. 176-186.

1956. « La nature des pronoms », *For Roman Jakobson*, Mouton & Co., La Haye, repris dans Benveniste 1966, p. 251-257.

1958a. « Catégories de pensée et catégories de langue », *Les Études philosophiques*, n°4 (oct.-déc.1958), repris dans Benveniste 1966, p. 63-74.

1958b. « De la subjectivité dans le langage », *Journal de Psychologie normale et pathologique*, juil.-sept 1958, repris dans Benveniste 1966, p. 258-266.

1959. « Les relations de temps dans le verbe français », Bulletin de la Société de linguistique de Paris, t. LIV (1959), repris dans Benveniste 1966, p. 237-250.

1960. « « Être » et « avoir » dans leurs fonctions linguistique », *Bulletin de la Société de Linguistique de Paris,* t. LV (1960), repris dans Benveniste 1966, p. 187-207.

1962a. *Hittite et indo-européen*, Paris, Maisonneuve.

1962b. « « Structure » en linguistique », *Sens et usages du terme « structure » dans les sciences humaines et sociales*, La Haye, Monton & Co.

1966. *Problèmes de linguistique Générale*, I, Paris, Gallimard.〔『一般言語学の諸問題』岸本道夫監訳、みすず書房、一九八三年〕

2　その他の文献（アルファベット順、あいうえお順に記す）

BADER Françoise 1997. « Actif et moyen dans le verbe », *Linx*, n° spécial « Emile Benveniste. Vingt ans après », p. 41-59.

BARTHES Roland 1966. « Situation du linguiste », *La Quinzaine littéraire*, 15 mai, 1966, repris dans *Le Bruissement de la langue*, Paris, Seuil, 1984, p. 205-207.

BRUGMANN Karl 1889, 1904^2. *Kurze vergleichende Grammatik der indogermanischen Sprachen*, Strassburg, Karl J. Trubner.

DELBRÜCK Berthold 1893-1900. *Vergleichende Syntax der indogermanischen Sprachen*, I, II, III, Berlin, De Gruyter Mouton.

GUILLAUME Gustave 1943. « Existe-il un déponent en français », *Le français moderne*, janvier 1943, repris dans *Langage et Science du langage*, Paris, Librairie Nizet1964, p. 127-142.

KLIMOV G.A. 1977. "On the character of languages of active typology". *Linguistics*, n° 131, 1974, p. 11-25.

KURYŁOWITZ Jerzy 1932. « Les désinences moyennes de l'indo-européen et du hittite », *Bulletin de la Société de Linguistique de Paris*, 33 (1932), p. 1-4.

MACKSEY Richard and Eugenio DONATE (eds) 1970. *The Languages of Criticism and the Sciences of Man*, Baltimore and London, John Hopkins University Press.

MEILLET Antoine 1920. « Sur les caractères du verbe », *Revue philosophique de la France et de l'étranger,* 89 (1920), p. 1-22.

NORMAND Claudine 1989. « Construction de la sémiologie chez Benveniste », *Histoire Épistémologie Langage,* 11-II (1989), p. 141-169.

ONO Aya 2018. « Prépositions, verbes pronominaux et voix moyenne. Un nouveau point de vue sur la subjectivité langagière d'Émile Benveniste », *Blityri*, VII-2, 2018.

PANINI (b.c. 400) 1948. *La grammaire de Panini*, traduite du sanskrit par Louis Renou, Paris, Librairie C. Klincksieck.

ROUSSEAU André 2014. « Propositions pour une description ordonnée des « voix » et des « diathèse » : problématiques, statut et conceptualisation du « moyen » », *Langages*, n° 194 (2014), p. 21-34.

TATSUKAWA Kenji 1995. « Louis Hjelmslev le véritable continuateur de Saussure », *Linx*, n° 7, 1995, p. 479-487.

クリモフ、A.G. 1999.『新しい言語類型学——活格構造言語とは何か』（石田修一訳）、三省堂（ロシア語原著、一九七七年）

郷原佳以 2018.「「私は書く」の現前性から「私は死んでいる」の可能性へ――バルト、バンヴェニスト、デリダ 1」、『みすず』二〇一八年十二月号、三〇―三九頁。

―― 2019.「「私は書く」の現前性から「私は死んでいる」の可能性へ――バルト、バンヴェニスト、デリダ 2」、『みすず』二〇一九年四月号、一四―二五頁。

―― 2019.「「私は書く」の現前性から「私は死んでいる」の可能性へ――バルト、バンヴェニスト、デリダ 3」、『みすず』二〇一九年六月号、二六―三六頁。

―― 2019.「「私は書く」の現前性から「私は死んでいる」の可能性へ――バルト、バンヴェニスト、デリダ 4」、『みすず』二〇一九年八月号、一二―二二頁。

松本克己 2006.『世界言語への視座』三省堂。

ドイツ語の再帰的表現と態に関する意味論的再考
――身体運動および精神活動の分節表象とその言語化を中心に

北條彰宏

序

ドイツ語では他動詞を用いた再帰的表現は非常に生産的で、他動詞の少なからぬものが典型的他動詞用法と並んで再帰的用法をも有する。それら再帰的用法の多くは自発的事態を表現している。ドイツ語には、自発的事態を表す手段としては、基本的に、再帰的表現と自動詞表現の二つがある。表現される自発的事態の内容は人間の内界現象から外界の物理的諸現象に至るまで多岐にわたるが、表現対象が自発的事態でありさえすればこれらの表現手段のうちのどれでも随意に現れ得るというわけではない。或る自発的事態を表現する自動詞は存在せず、当該事態は専ら再帰的動詞表現で言語化される。また、或る自発的事態にはそれを表す再帰的動詞表現が無く、当該事態は専ら自動詞で言語化される。これらの部類とは別に、表面的な観察では、その表現に再帰的動詞表現も自動詞も現れ得るように見える自発的事態もあるが、前者が現れる場合と後者が現れる場合とでは表現されていることの意味が異なる。

次に、動詞結合価構造に着目しながら状況を概観してみると、典型的他動詞用法と自発的事態を表現する自動詞用法を有するが、自発的事態を表す再帰的用法は持たない動詞群もあれば、自発的事態を表現する自動詞用法と再帰的用法は有するが、典型的他動詞用法は持たない動詞群もあるし、また、典型的他動詞用法と、自発的事態を表現する再帰的用法および自動詞用法の三つの用法を有する動詞群も存在する。動詞結合価構造のこうした分布は、歴史的言語変化の問題とも関係する現象であろうが、こうした分布状況をきれいに説明することを可能にするような統一的原理は簡単には見つかりそうもない。

自発的事態の言語化をめぐる上述のような混沌とした状況から既に明らかなことは、それぞれの事態ごとにドイツ語話者の脳が行う主観的解釈のやり方が異なるということ、言い換えれば、それぞれの事態によってドイツ語話者の概念的分節構造化のやり方が異なるということである。人間による主観的解釈が支配する世界の問題であるので、どのような自発的事態の場合に再帰的構文が現れ、どのような自発的事態の場合に自動詞構文が現れるのかを、常に矛盾なく一義的に説明することが困難になるとしても何ら不思議はない。実際、複数の表現事例の観察から自然に導き出せる帰納的推論が成り立たない場合が稀ではない。また、再帰的構文で表現される多種多様な自発的事態がどれも同一のまたは類似したやり方で概念的に分節構造化されているという推測に対しても不利な証言をしていると分析できる事例が少なからず観察される。これは自動詞構文で表現される自発的事態群についても同様である。構文が同じであれば、その根底に同じまたは類似した概念的分節構造化があると安易に考えることは、少なくともドイツ語の再帰的表現および自動詞表現については、危険であるようだ。

或る部類の自発的事態が再帰的表現で言語化される理由については、先行研究によって既に幾つかの説明が提示されてきた。この理由を考える場合には、他動詞を用いる再帰的表現に現れる対格再帰代名詞が果たす意味機能はどのようなものかも当然問題になるが、対格再帰代名詞が対格目的語として認識される度合いが動詞によってそれぞれに柔らかく異なるという厄介な事情もあるせいか、問題の解明は満足のゆくようには進んでいない。

自発的事態の言語化が上述のような容易には見通せない複雑な状況を呈する中で、人間を主語とする再帰的表現は比較的明瞭な特性を有するように思われる。人間が主語となる再帰的構文で表現される自発的事態のうちで目立って多いのは、身体運動（身体移動）や精神活動（心理現象）である。身体運動や精神活動を表す再帰的表現は、ドイツ語の再帰的表現の系統的発達の系譜では最も古い部類に属しているが、人間以外の事物が主語となる自発的事態の表現よりは分析し易いのみならず、心理言語学的観点からも興味を引く独特の分節構造を示す。身体運動や精神活動を表す再帰的表現は、再帰的表現が生まれた大元の経緯について何かを明かしてくれるかも知れない。本稿では、身体運動や精神活動を表すドイツ語の再帰的表現を中心に、自発的事態の言語化について考察を試みることにする。

1　再帰代名詞の心的機能に関する二つの説

(1) 意味的に空疎な動詞補足成分

典型的他動詞用法を有するドイツ語の他動詞の中には、再帰的表現になると他動性が揚棄され、意味が変わる動詞が相当数存在する。そうした部類に属する再帰的表現を本稿では再帰的表現異形と呼ぶことにする。他方、典型的他動詞用法を失い専ら再帰代名詞を伴う形でしか用いられなくなっている動詞群もある。この部類に属する再帰的表現を以下では真正再帰表現と呼ぶことにする。まず、それぞれの部類に属する再帰的表現群の中から抽出した少数の具体例を観察してみよう。対格再帰代名詞は主語が三人称の場合に用いられる sich で示してある（**次頁参照**）。

どの事例も基本的には自発的事態を表しているという点では共通しているが、これらが表現している内容の種類・分野は多岐にわたっており、これらの内容が他動詞を用いて再帰的に表現されねばならない理由を明らかにしてくれるような共通の特徴ないし傾向を検出するのは困難である。はっきり分かることは、これらの再帰的表現事例に現れている動詞の意味が他動性を揚棄していることだけである。このことを、身体移動を引き起こすことを表す他動詞 setzen（「座らせる」）の立ち

再帰的表現異形

sich ängstigen　（恐れる, 不安がる）
sich beunruhigen　（不安を感じる, 心配する）
sich ärgern　（怒る, 腹を立てる）
sich entrüsten　（憤慨する）
sich aufregen　（興奮する, 憤慨する）
sich bedenken　（〔決心・行動の前に〕よくよく考えてみる, 思い迷う）
sich begeistern　（感激・熱中・熱狂する）
sich erinnern　（～を思い出す, 覚えている）
sich freuen　（喜ぶ）
sich fürchten　（恐れる, 怖がる）
sich interessieren　（興味・関心を抱く）
sich kümmern　（～を気にかける, 心配する, ～の面倒を見る）
sich verwundern　（～を不審に思う, 不思議がる）
sich wundern　（奇異の念を抱く, いぶかしく思う）
sich trösten　（自らを慰める, 気を紛らわせる）
sich täuschen　（思い違いをする, 間違う, 錯覚する）
sich beklagen　（苦情を言う, 愚痴をこぼす）
sich beschweren　（苦情を訴える）
sich setzen　（座る）
sich legen　（横たわる）
sich stellen　（立つ）
sich erheben　（身を起こす, 立ち上がる）
sich beugen　（身をかがめる）
sich hinknien　（ひざまずく）
sich anlehnen　（～に寄りかかる, もたれる）
sich kehren　（向く, 向かう）
sich entfernen　（遠ざかる, 離れる, 立ち去る）
sich dehnen　（のびる, 広がる；体を伸ばす）
sich strecken　（体を伸ばす, 背伸びする）
sich drehen　（回る, 回転する）
sich neigen　（傾く）
sich entfärben　（色あせる, 蒼白になる）
sich entscheiden　（決心する）
sich verbreiten　（広がる）
sich vergrößern　（大きくなる, 拡大される, 増大する）
sich öffnen　（開く）
sich schließen　（閉まる）
sich spalten　（割れる, 裂ける, 分裂する）

真正再帰表現

sich schämen　（恥じる）
sich sehnen　（憧れる, 慕う）
sich begnügen　（～で満足する, 甘んじる）
sich behelfen　（～で間に合わせる, 何とかやりくりする）
sich besinnen　（考える, 思案する）
sich entsinnen　（記憶している, 思い出す）
sich bewerben　（申し込む, 志願・応募する）
sich gedulden　（我慢・辛抱して待つ）
sich erkühnen　（敢えて～する）
sich ergießen　（あふれ出る, 噴き出る）
sich räuspern　（咳払いをする）
sich begeben　（～へ赴く）
sich befinden　（～にある, いる）
sich beeilen　（急ぐ）
sich verirren　（道に迷う；道を誤る）
sich bemächtigen　（占領する, 我がものとする）
sich verlieben　（惚れ込む）
sich verloben　（婚約する）
sich entschließen　（～をする決心を固める）
sich erkälten　（風邪をひく）

振る舞いで確認することから考察を開始することにしよう。

(1) Der Arzt setzte mich auf den Stuhl.［典型的他動詞表現］
「医者は私を椅子に座らせた」

(2) Ich setzte mich auf den Stuhl.［再帰的表現異形］
「私は椅子に座った」

動詞 setzen の典型的他動詞用法の例である(1)では、代名詞 mich は主語 der Arzt から発した動詞作用を直接被る対格目的語として認識される。形態–統語論に軸足を置く現代ドイツ語文法理論の枠内では、このような場合、主語には「動作主（動作主体）」（Agens）、対格目的語には「被動作主」（Patiens）という「意味役割」が動詞結合価によって与えられると説明される。

以上を踏まえて次に、再帰的表現異形の例である(2)を観察してみよう。文例(2)における対格代名詞 mich は、たまたま主語自身が対格目的語となったものとは分析できない。文例(2)においては、同一の対象が主語（ich）と対格再帰代名詞（mich）に分解される形で分節表現されており、前者は動作主としての意味役割を、後者は被動作主としての意味役割を担っている、と分析できるようにも思える。ところが、対格再帰代名詞 mich は、典型的他動詞用法の場合の mich とは異なり、対格目的語として認識されなくなり、sich setzen という再帰的分節構造全体が一つの自動詞的単位のように認識されるようになる。つまり、文例(2)の意味は、少なくとも、「私は私自身を椅子に座らせた」という日本語に相当する意味にはならないのである。これに関連することについては後続の節1－(2)で詳しい分析を行うことにする。現代ドイツ語規範文法書では、真正再帰表現および再帰的表現異形における対格再帰代名詞を「意味的に空」な動詞補足成分と説明する方針が長年来踏襲されており、真正再帰表現と再帰的表現異形には「語彙化」が進行しているという分析が提示されている。[1]

真正再帰表現および再帰的表現異形における対格再帰代名詞を「意味的に空」な動詞補足成分であるとする現代ドイツ語規範文法書の主張は、形態－統語論に軸足を置く動詞結合価理論の枠内でなされた一つの評価であって、心的言語過程で起きていることについて予測・言及したものではない。現代ドイツ語規範文法書の枠内でいう「意味」がどのように定義されているにせよ、真正再帰表現および再帰的表現異形における対格再帰代名詞が意味的に空であるということは、心理学的観点では、言語産出過程においても言語理解過程においても、当該の対格再帰代名詞は心的言語過程で認識上何の仕事もしていないということになる。しかし、対格代名詞の人称・数・格および意味が主語の人称・数・格・意味との関係において正しく認識・操作されることで典型的他動詞用法と再帰的表現異形の心的弁別が成立し得ている点については疑いの余地はない。

(3)　Der Arzt setzte ihn auf den Stuhl. ［典型的他動詞表現］

「医者は彼を椅子に座らせた」

(4) Der Arzt setzte sich auf den Stuhl.［再帰的表現異形］

「医者は椅子に座った」

文例(3)のように主語（der Arzt）が三人称の場合には、同一文中にある対格人称代名詞（ihn）は主語自身を指すことができない。それゆえ、文例(3)は再帰的表現にはならない。主語が三人称の場合、再帰的表現異形を形成するには文例(4)のように再帰代名詞として sich を用いなければならない。以上は、極めて初歩的な話だが、文例(1)、(2)、(3)、(4)を比較しながら考えてみれば、心的言語過程にて対格再帰代名詞が分析されていること、そして、概念的分節構造化の過程と、それと連続体を成す言語的線条分節化の過程で対格再帰代名詞が認識上の機能を果たしていることを積極的に否定する根拠は見当たらなくなる。真正再帰表現および再帰的表現異形に現れる再帰代名詞が意味的に空であるという考え方は根本的に相対化する必要がありそうだ。後続の節２－（２）では、当該対格再帰代名詞が意味産生上本質的な機能を果たしていることを論じる。

現代ドイツ語の真正再帰表現および再帰的表現異形について、［再帰代名詞＋他動詞］という分節構造全体が自動詞的な意味を表す単位として語彙化されているとするならば、その自動詞的な意味とは具体的にはどのような意味なのかが問題となる。他動性と同様、自動性も決して自明の概念ではないからである。自発的事態には再帰的表現で言語化される部類と自動詞で表現される部類があり、序でも触れた通り、再帰的表現と自動詞との間には、基本的に、随意な互換性は観られない。従って、真正再帰表現および再帰的表現異形が自動詞的な意味を表すとして、その自動詞的な意味とはどのような意味なのかを知るためには、まず、その意味が自動詞の表す意味とどこがどのように異なるのかを知る必要がある。それを知るためには、少なくとも、或る部類の自発的事態の言語化に再帰的表現が現れる原因・理由が明らかにされねばならないであろう。次の節では、再帰的表現異形と自動詞表現の選択的出現に関して説明を試みている先行研究の主張を検討してみよう。

（2）外的作用の受け手

大矢（2000: 46-47）および坂本（2000: 55-57）では、主語で表される主体に対して何らかの外的作用が及んでいることが前提・想定されている自発的事態が表現される場合には原則として再帰的表現異形が現れ、主語で表される主体に対する外的作用の存在が想定されていない自発的事態が表現される場合には自動詞が現れる、という見解が述べられている。この見解によれば、再帰的表現異形における対格再帰代名詞は、想定されている外的作用の受け手（被動作主）としての主体の側面が言語化されたものだという。以下では、この見解を外因説と呼ぶことにし、この外因説が妥当なものか否かを詳しく検討してみることにする。

再帰的表現異形に現れる動詞は、例外なく典型的他動詞用法を有する。そして、典型的他動詞表現における主語は、当該事態を引き起こす要因と解釈される。この点に注意を向けながら、外因説にとって有利な証言をしているように思われる例を分析してみよう。下記の例に現れる動詞 freuen は他動詞で、「喜ばせる」という使役的意味を表す。

(5) Die Nachricht freute den Professor.［典型的他動詞表現］
「その知らせが教授を喜ばせた」

(6) Der Professor freute sich über die Nachricht.［再帰的表現異形］
「教授はその知らせに喜んだ」

典型的他動詞表現(5)では、精神現象を励起するもの（Nachricht）が主語として分節され、当該励起作用を被る知覚・認識の主体（Professor）は対格目的語として分節されている。この対格目的語の意味役割は被動作主と見なすことができる。これに対し、再帰的表現異形(6)では、知覚・認識の主体（Professor）が主語として分節され、精神現象を励起するもの（Nachricht）は前置詞付き目的語（über die Nachricht）の内部で分節表現されている。下記の典型的他動詞用法(7)と再帰的表現異形(8)についても全く同様の分析が可能である。下記の例に現れる動詞 ärgern は他動詞で、「怒らせる」という使役的意味を表す。下記文例では sein unhöfliches Verhalten（「彼の無礼な態度」）が精神現象を引き起こす要因ないし刺激と分析できる。

(7) Sein unhöfliches Verhalten ärgerte mich.［典型的他動詞表現］
「彼の無礼な態度が私を立腹させた」
(8) Ich ärgerte mich über sein unhöfliches Verhalten.［再帰的表現異形］
「私は彼の無礼な態度に腹が立った」

再帰的表現異形の例(6)および(8)では、当該精神現象を引き起こす要因が厳然と言語化されており、しかも、その要因は主語の外部にあると考えざるを得ないものである。従って、再帰的表現異形(6)や(8)のような事例は、外因説の正しさを裏付ける有力な証拠となるかのように思える。しかし、再帰的表現異形(6)および(8)における対格再帰代名詞は外的作用の受け手（被動作主）としての主体の側面を言語化したものだという外因説の主張が説得力を有するように思えるのは、典型的他動詞表現における対格目的語を主語（主格）に変換した表現が再帰的表現異形であると分析する思考の枠内に限られる。このように分析する発想は、能動文の対格目的語を主格に変換したものが他動詞受動文の主語であると形式的に分析する場合の発想と似ているが、受動文が能動文から派生された単なる言い換えではないのと同様、再帰的表現異形は典型的他動詞表現における対格目的語の視点あるいは立場から同一の事態を言い換えたものなのではない。そのように言える理由を以下で説明してみよう。ドイツ語学では、真正再帰表現および再帰的表現異形に下記のような特徴[2]があることが古くから知られている。まずは、この特徴から何が分かるのかを整理しておく必要がある。

特徴1――真正再帰表現および再帰的表現異形に現れる対格再帰代名詞と通常の対格目的語を同一文の中で並列させようとすると、当該文は非文法的となるか、当該文の容認可能性が低下する。下記文例では、sich が対格再帰代名詞、seine Frau が通常の対格目的語で、それぞれイタリック体で示してある。

(9) ?Der Professor freute *sich* und *seine Frau* über die Nachricht.

特徴2――真正再帰表現および再帰的表現異形に現れる対格再帰代名詞は、典型的他動詞表現としての補足疑問文の疑問詞に埋め込むことが困難である。下記文例では、wen が対格疑問詞、sich が対格再帰代名詞で、それぞれイタリック体で示してある。

(10) *Wen* freute der Professor? ― ?Er freute *sich*.

特徴1と特徴2が発生する原因は統一的に説明できると考えられる。文例(9)が容認困難となる本質的理由は、前置詞付き目的語 über die Nachricht の存在とは関係がない。この前置詞付き目的語を以下のごとく削除しても、文の容認可能性は依然として高まることはない。

⑾　?Der Professor freute *sich* und *seine Frau*.

文例⑾を容認可能な文とするには、以下のように、seine Frau を主語にして der Professor と文頭部で並列させるしかない。下記文例⑿における対格再帰代名詞 sich は、三人称複数の主語に呼応する対格再帰代名詞である。

⑿　Der Professor und seine Frau freuten sich.

文例⑼も⑾も容認するのが困難な文となるのは、他動詞 freuen の作用が主語 Professor の外部へ及ばないからに他ならない。再帰的表現異形 Der Professor freute sich が表しているのは、主語 Professor の領域内で当該精神現象が自発的に生起・展開し完結する過程である。言い換えれば、der Professor freute sich という統語的語群（Syntagma）はそれ自体で閉じている自動詞的表現を形成しているように認識される。それゆえ、文例⑼および⑾における動詞 freuen は、対格再帰代名詞 sich の後に現れる名詞句 seine Frau に対して格を与えることができず、seine Frau は、意味役割が不明な浮いた名詞句となる。閉じた自動詞的過程領域を［　］で囲むと、分節構造が以下のように見えてくる。

(9)　?[Der Professor freute *sich*] und *seine Frau* über die Nachricht.

次に、特徴2を確認するための文例(10)に即して、特徴2についても考えてみよう。

(10)　*Wen* freute der Professor? — ?Er freute *sich*.

Wen freute der Professor? という典型的他動詞表現の補足疑問文に対する答えとして Er freute *sich*. が容認困難となる理由も上述と同様に説明可能である。Er freute sich における sich は対格目的語として認識されないので、この文は、「彼は彼自身を喜ばせた」という日本語に相当する意味にはならず、再帰的表現異形として認識される。再帰的表現異形 Er freute sich. はそれ自体で閉じた自動詞的表現を形成しているように認識され、他動詞 freuen の作用が主語 Er の外部へ及ぶという表象が遮断されるので、この閉じた自動詞的表現の概念は、補足疑問文における freuen の典型的他動詞用法の概念、つまり、主語（Professor）の外部に作用が及ぶという概念と根本的に整合し得なくなる。よって、再帰的表現異形に現れる対格再帰代名詞は、典型的他動詞表現としての補足疑問文の疑問詞に埋め込むことが困難になるのである。

真正再帰表現および再帰的表現異形が示す二つの特徴につき、上述では再帰的表現異形に絞って分析してみた。これら二つの特徴の分析から少なくとも明らかになることは、典型的他動詞表現と再帰的表現異形は、それぞれ根本的に異なる事態を異なる分節法で表している相互から独立した表現であるということである。典型的他動詞表現では、主語が対格目的語に作用を及ぼしていることが表現されており、主語は対格目的語に当該現象を引き起こす外因と解釈される。言い換えれば、対格目的語は外的作用を被る被動作主という意味役割を持ち得る。これに対し、身体運動や精神活動を表す再帰的表現異形が現れる場合には、主語に対して外的作用が及んでいるという表象は基本的に不在であると考えられる。上述で見た再帰的表現異形の例(6)および(8)では、当該精神現象を引き起こす外因と解釈されるものが確かに言語化されているが、再帰的表現異形(6)は能動態である典型的他動詞表現(5)を受動変形した表現とは明らかに異なるし、同じことが再帰的表現異形(8)と典型的他動詞表現(7)の関係についても言える。つまり、再帰的表現異形に現れる主語は外的作用を被る被動作主という意味役割も担っていると認定できる明確な根拠が再帰的表現異形の言語的線条分節構造には見当たらないのである。文脈によっては、再帰的表現異形の主語に外的作用が及んでいることが概念的に了解されることは有り得るが、その場合であっても、再帰的表現異形が表現しているのは、主語が表す人間の領域内で当該現象が自発的に生起・展開しその現象作用が主語の外部には波及しないという過程ないし事態であって、受動的な意味は表現していない。再帰的表現異形は真正の受動態からは区別されるべき態を表している。

精神現象を表す再帰的表現異形に現れる前置詞付き目的語が常に外的要因を明示ないし暗示するとは限らない。例えば erinnern（「思い起こさせる」）や interessieren（「興味・関心を起こさせる」）

に現れる前置詞付き目的語に含まれる名詞句は、以下に示すように、典型的他動詞表現においても再帰的表現異形においても当該精神現象を引き起こす外的要因を表現していない。分かり易さのために、以下の文例では前置詞付き目的語をイタリック体で示す。

(13) Ein altes Foto erinnerte mich *an den Vorfall*.［典型的他動詞表現］
「一枚の古い写真が私にその出来事のことを思い出させた」

(14) Ich erinnerte mich *an den Vorfall*.［再帰的表現異形］
「私はその出来事を思い出した」

(15) Dieses Buch hat mich *für Physik* interessiert.［典型的他動詞表現］
「この書物が私に物理学に対する興味を起こさせた」

(16) Ich interessiere mich *für Physik*.［再帰的表現異形］
「私は物理学に興味がある」

外因説を支持する考え方の枠内では、例えば、再帰的表現異形(6)および(8)は外的作用が前景化される表現であるのに対し、再帰的表現異形(14)や(16)は外的作用が背景化される表現であるというような説明が可能になるのかも知れないが、こうした説明は、再帰的表現異形では話者が外因を想定して発話することを前提した都合のよい説明に過ぎないように思える。前置詞付き目的語の内部に外因と解釈できるものが現れるか否かは、動詞結合価の意味的分節構造の制約に由来する問題であって、外因を前景化するか背景化するかに関する表現意図とは次元の異なる問題なのである。

典型的他動詞表現に現れる対格目的語を被動作主という意味役割を有する主格に変換し、それを身体運動や精神活動を表す再帰的表現異形の主語に据えるという操作は、再帰的表現異形の主語を、それに関して表象されることとは矛盾する意味機能を有する主語に挿げ替えてしまうことになる。典型的他動詞表現から出発して再帰的表現異形の分節構造を考える発想、つまり、外因の存在を前提する発想は、身体運動や精神活動を表す再帰的表現異形について考える場合には、適切なものとは言い難い。身体運動や精神活動を表す再帰的表現異形の主語に被動作主としての側面が認められるとしても、主語に作用を及ぼしているのは主語の外部にある何かではなく、主語自身の内部で生起・展開する過程の作用と考える必要がある。

ここで、念の為、人間以外の事物の状態変化に関する表現については外因説がどの程度の説明力を有するかを見てみよう。

schmelzen〔自動詞用法〕:「(熱で) 溶ける」
schmelzen〔他動詞用法〕:「(熱で) 溶かす」
quellen〔自動詞用法〕:「(固いものが水けを吸って) 膨れる、ふやける」
quellen〔他動詞用法〕:「(穀物などを水に浸して) 膨らませる、ふやかす」

schwellen［自動詞用法］:「膨れる、膨らむ」
schwellen［他動詞用法］:「膨らます、膨張させる」
bleichen［自動詞用法］:「色がぬける（落ちる）／青ざめる」
bleichen［他動詞用法］:「漂白する、色抜きする／青ざめさせる」

これらの動詞には、状態変化を表す自動詞用法と当該状態変化を引き起こすことを表す他動詞用法はあるが、他動詞に再帰的用法がない。これらの動詞にも典型的他動詞用法がある以上、状態変化が何らかの外的要因によって生じていることが話者によって想定・前提されることはあり得る。その場合もしかし、これらの動詞にあっては、自発的状態変化は専ら自動詞用法で表現するしかない。

⒄ Der Schnee schmolz.［自動詞用法］
「雪が溶けた」
⒅ Die Sonne schmolz den Schnee.［他動詞用法］
「太陽が雪を溶かした」

特に上記 schmelzen の意味は、「溶ける」という状態変化が熱（つまり外因）で起きることを含意している。それにもかかわらず、この動詞に再帰的表現異形がないという事実はどのように理解すればよいであろうか。例えば、ここに挙げられている事例は外因説が当てはまらない特殊な例外であって、状態変化が何らかの外的要因によって生じていることが話者に明確に認識され得る場合であっても、専ら自動詞表現が用いられる事例があるということなのか。どのように譲歩しても、ここで挙げた事例は外因説にとっては少なくとも不利な証言をしている事例と言わざるを得ないようだ。では、sich schließen(「閉まる」)、sich öffnen(「開く」)などの再帰的表現異形についてはどうであろうか。

⑲ Die Tür öffnete sich langsam.
「ドアがゆっくりと開いた」

「ドアが開く(閉まる)」という事態には何らかの外因が働いていると考えるのが我々の常識的な発想であるから、主語(Die Tür)は外的作用を被る被動作主的な意味役割を有し、その被動作主的な側面が再帰代名詞 sich で言語化されていると説明されても特に違和感は覚えない。しかし、⑲も、能動態である典型的他動詞表現を受動変形した表現とは区別されねばならない。外因(外的な動作主)が背景化され、専ら状態変化に焦点が当てられた表現として⑲を説明するだけでは、動作主が言語化されていない他動詞受動文を説明する場合と似たり寄ったりの説明になってしまう。

とはいえ、人間が主語となる身体運動や精神活動を表す再帰的表現異形について分析できることが、人間以外の事物を主語とする再帰的表現異形についてもそのまま当てはまるという保証はないので、⒆に現れる対格再帰代名詞が外的作用の受け手を表しているのか否かは判断が難しい問題となる。

以上のごとく外因説の妥当性について検討してみた。外因説は、人間以外の事物・現象が主語となる再帰的表現異形については対格再帰代名詞が生起する理由をそれなりにうまく説明できる場合があるようだが、少なくとも、身体運動や精神活動を表す、人間が主語として生起する再帰的表現異形を説明する理論としては全く場違いのものと言える。同じ再帰的表現異形であっても、人間が主語として生起する場合と、人間以外の事物・現象が主語として生起する場合とでは、表現されている事態が根本的に異なると考えた方がよいだろう。

序でも触れたように、ドイツ語の再帰的表現異形と自動詞表現の選択的出現を根底で規定しているのは、それぞれの事態に関してドイツ語話者の脳が行う主観的解釈の違いである。従って、再帰的表現異形と自動詞表現の選択的出現を規定する要因を考える場合には、ドイツ語を母語としない人間が当該事態に関して常識的に表象することがそのまま通用するわけではないし、当該事態の物理学的または神経心理学的な事実に関する科学的知見が常に解明の決め手となるわけでもない。ここに、主観の産物を解明することの難しさがある。

2　再帰的表現異形の態と意味について

身体運動や精神活動を表す再帰的表現異形では、主語（＝人間）が外部からの作用を受けることで当該現象が発生・展開するという事態は表現されていない。従って、当該再帰的表現異形は、他動詞受動との意味的連関[3]を問題にできるような表現なのではない。

(20)　Er hat sich aufs Bett gelegt.［再帰的表現異形］
「彼はベットに横たわった」

(21)　Er ist aufs Bett gelegt worden.［他動詞受動］
「彼はベットに横たえられた」

(22)　Ich habe mich an den Tag erinnert.［再帰的表現異形］
「私はその日のことを思い出した」

(23)　Ich bin an den Tag erinnert worden.［他動詞受動］
「私はその日のことを思い起こさせられた」

では、身体運動や精神活動を表す再帰的表現異形は能動態なのかというと、どうも釈然としない。

ここで、前節1－(2)までの考察で確認したことを整理してみよう。

① 当該再帰的表現異形では、主語が表す人間の領域内で当該現象が自発的に生起・展開しその現象作用が主語の外部には波及しないことが表現されている。

② 当該再帰的表現異形では、主語(＝人間)が主語自身を対格目的語として当該行為をしていることは表現されていない。

他動詞が用いられているにもかかわらず動詞の作用が主語の外部へ及ばず、専ら主語の領域内で当該過程が自発的に生起・展開することが表現されているという特徴①は、他動詞が用いられる能動態表現というものに関するドイツ語文法学の通念からは逸脱している特徴と言える。また、厳然として他動詞が使用されているにもかかわらず、言語化されている対格再帰代名詞が対格目的語とは認識されず、他動詞の主語が主語自身を対格目的語として当該行為をしていることが表現されていないという特徴②も、他動詞が用いられる能動態表現というものに関する一般の常識的理解とは相容れないものである。以上のことから、身体運動や精神活動を表す再帰的表現異形は、典型的な能動態表現と安易には同一視できない表現型に属していることが窺える。ここで、前節1－(1)にて触れたことを振り返ってみよう。節1－(1)では、再帰的表現異形で用いられている他動詞は他動性を揚棄しており、sich legen や sich erinnern のような再帰的分節構造全体が一つの自動詞的単位として認識されるようになると一応述べておいたが、このままでは未だ何の説明にもなっていない。再帰的表現は自動詞的意味を持つと説明するならば、前節1で既に提起した問題、すなわち、再帰的表現異形が表す自動詞的な意味とは具体的にはどのような意味なのか、その意味は自動詞の表す意味とどこがどのように異なるのかが問題として持ち上がる。身体運動や精神活動を自発的事態として表す再帰的表現異形は能動態なのか否かは、この問題との関連でも説明される必要がある。

身体運動や精神活動を表す再帰的表現異形については上記①と②の特徴を確認した。当該再帰的表現異形の意味が能動態的なものと言えるか否かを究明するには、当該再帰的表現異形の主語（人間）を他動詞の動作主と見なす（常識的な）発想を根底から相対化して当該表現について考え直す必要がある。しかし、そうするとなると、必然的に、言語性表象水準の下方にある水準ではどのような分節表象化がなされているのかを推測しなければならなくなる。こうした危険な冒険をせずに研究を進めようとしても、経験的に直接観察可能な言語産出運動の結果痕跡を在来の言語学の方法論で観察・分析しているだけでは永久に埒があかないことは容易に予測できる。言語学、特に音韻論、形態論、統語論が保有している説明の道具立ては、基本的に、言語産出運動の結果痕跡を観察・分析することによって開発されてきたものであって、心的言語過程の深いところで進行する現象は扱えない。そうした道具立てを頼りに言語産出運動の結果痕跡の水準に禁欲的に留まって研究を続けても、我々が知りたいことに辿り着けるはずがない。結局のところ、慎重な態度をとって研究を断念・放棄するか、敢えて危険を冒すかの選択を迫られるわけだが、本稿では後者の道を選ぶことにした。

身体運動や精神活動を表す再帰的表現異形は、端的に言えば、身体運動や精神活動が行われる際に人間の脳内に立ち上がってくる心的表象を言語性表象に書き換え線条分節化したものである。ここから先は、表象という観点から身体運動や精神活動を表す再帰的表現異形について考察する方針を採るが、考察に入る前に、考察の足場となる表象という心的現象を可能な限り具体的な形にして提示しておく必要がある。表象について次の節２－（１）にて述べることは、主にWerner/Kaplan(1963)、Brown(1977)、Brown(1988)、Damasio(1994)、Damasio(1999)、Edelman(1992)、Freud(1992)らの考え方と、心理学的あるいは神経心理学的先行諸研究から得た知見を基にしたものであって、節２－（１）で述べることには筆者が独力で発見・究明したことや筆者が独自に形成し得た見解は一つも含まれていない。本稿の考察の足場として必要となることに絞って記述してみると、次のような話になる。

（1）考察の足場――表象について

表象（または心像）の心的実際は、各種感覚性情報、運動性情報、概念表象、記憶心像等が非原子論的に上へと統合されることにより成立する様式特異性を超えた統合表象であると考えられる。統合される対象は、理論上、各種感覚性情報、運動性情報、概念表象、記憶心像等ということになるが、統合とはこれら心的諸情報を構成的に総和することを意味するのではない。統合の結果として成立する統合表象は、元にあったはずの統合以前の心的諸情報それぞれが有する個々の性質だけからでは説明できない性質と機能を実現している。また、心理学的水準では、記憶情報を含めた他のいかなる心的情報からも完全に遊離・孤立している単一様式の純粋な様式特異的情報それ自体が心像として単独で出現し正常に機能することは決してない。つまり、統合現象には、統合される以前も統合された後も定常不変で常に一義的に同定・定義可能な要素（ないし単位）が存在せず、それゆえに、統合によって成立する統合表象は原子論的単位に分解することができない[4]のである。還元論的発想では説明できないこうした性質ゆえに、統合は非原子論的現象と見なされる。

注意、心的情報統合、分節化、心的意味産生、知覚、認識、思考、概念化、表現、表象、記憶、意思形成というものは、同一の時間的統合行程の中で進行している統一的な心的働きの異なる側面をそのような用語で便宜上区別したものに過ぎず、これらをそれぞれ独立した別個の心的現象単位として相互から原子論的に切り離し区別することはできない。これらの心的働きのどれか一つに言及することは、常に、他の全てに含まれている事柄についても同時に語ることになる。従って、表象が発生すれば同時に心的意味も発現すると考えねばならない。実際、心的意味は、最低でも、各種感覚性と運動性の様式特異的情報が複数統合されなければ成立し得ないのである。その都度どのような統合表象（それゆえ心的意味）が出現するかは、認識主体の統合機構が内界・外界の事態をその都度どのように解釈しどのような統合と分節把握を行うかに依存して動的に柔らかく決まる。この過程では注意の働きが重要な役割を演じている。注意の働き方によって、心的諸情報の束ね方

（統合の仕方）が制御される。統合は、その都度必要となる機能に適うように柔らかく行われていると言える。

人間は、内的に発生する動的な統合表象を言語化する際には、自分が属する言語共同体で約束事として固定されている言語的線条分節型で言語化しなければならない。あらゆる水準の表象が常に言語性のものであるという主張は却下できるゆえに、表象を非言語性のものと言語性のものとに分けることは一応正当化される。ただし、これら二種の表象を二分法的に対置して、言語学の研究対象を言語性表象に限局することは不可能である。言語性表象のみを生み出す言語専用の特異な神経心理機構が非言語性表象を生む基盤的神経心理機構から独立した形で別個に存在しているわけではなく、非言語性表象を生む同一の神経心理的基盤が言語性表象を生み出している。このことと矛盾することなく、非言語性表象と言語性表象の属性は基本的に同じで、各種感覚・知覚情報、運動性情報、記憶心像、概念表象等が非原子論的に上へと連続階層的に統合されてゆくことにより出現する様式特異性を超えた複合的統合表象であるという点ではこれら両表象は共通している。この点をもう少し具体的に述べてみよう。言語性表象の属性を特徴づけるのは、発声・構音運動心像、発声・構音に関する体性感覚心像、言語音声に関する聴覚性心像、書字運動心像、書字に関する体性感覚心像、視覚性文字心像といった言語性の非原子論的要素群[5]の性質であるが、これら言語性の非原子論的要素は、非言語性の基盤表象が元々内包している最も基本的な要素である運動系と感覚系に由来しており、その意味では言語特異的とは言えない。言語性表象は、非言語性表象という基盤からその連続体として出現し得る表象であり、非言語性表象が発生し展開してきた行程・歴史の上にはじめて成り立つ表象である。そもそも、基盤的統合が機能しなければ、言語を含めた全ての心的機能の成立基盤が失われるのであるから、非言語性表象の発生に先立って言語性表象それ自体が独立して出現し正常に機能するなどということは絶対にあり得ない。言語性表象について我々が語ることができるのは、常に、非言語性表象が出現し機能していることを前提する場合のみである。

認識主体の統合機構がその都度内界・外界を主観的に解釈し分節表象していることを統合機構自身が自己再帰的に認識している内容は、我々が意味という言葉で表現している表象の性質や機能と区別できないと言えるのであれば、心的諸情報の上への統合行程で出現する複合的な統合表象の本質は、それが非言語性のものであろうが言語性のものであろうが、畢竟、意味表象以外の何ものでもないということになる。ただし、注意、心的情報統合、分節化、知覚、認識、思考、概念化、表現、記憶、意思形成といった一連の心的働きが動的・継時的な過程としてのみ時間的に成立し存在し得るものである以上、心的表象も動的・継時的な過程としてのみ出現し機能し得る時間現象であると考えざるを得ない。表象とは、例えば写真のような、出来上がった形で固定されている静的な視空間的映像のようなものではないし、心的表象過程とは、そうした静的な個々の映像のようなものが同一の次元で順次処理されてゆく過程なのではない。表象とは、表象がその都度発生・展開する動的過程全体に相当する現象である。従って、表象とは、正確には、表象過程と表現すべき動的・継時的対象なのである。認識主体の統合機構に求められる機能は刻々と連続的に変化するのであるから、表象もその都度必要となる機能に適うように連続的に柔らかく書き換えられ変換されるはずである。[6]このことを重視する観点では、表象が発生し展開する過程とは、表象の連続的な書き換えの過程、あるいは表象変換過程と理解される。表象がこのように書き換えの過程そのものであるならば、意味というものも、統合表象の絶え間ない書き換えないし変換の連続的過程そのものとして理解する必要がある。

統合表象は、それを生み出した統合機構自身によって再帰的に意識されている。これは、意識は意識それ自身を意識できるという、意識が有する機能が実現している性能によるものであるが、[7]この水準にある意識は一般には「自己意識」「再帰的意識」あるいは「反省意識」と呼ばれている。認識主体である人間の心の中で発生・展開する統合表象は、自己意識の水準で捉えられ認識されているものであるが、自己意識は、その傾向特性として、動的・継時的過程そのものを捉えることを苦手としている。上述では表象の時間性ないし力動性に言及したが、我々は、表象の書き換え過程そのもの（書き換え過程で起きていることそのもの）は意識できない。我々が意識できる、あるいは意識できているつもりになっているのは、当該書き換えの結果だけである。我々は、自分がその都度認識している書き換えの結果が次の瞬間にはもう書き換えられていることを普段は意識していないし大して気にもしていない。しかし、その書き換えを行っているのは、我々自身の心（あるいは脳の働き）なのである。

（2）考察

（i）主語と対格再帰代名詞の同一性認識表象が果たす機能

前節2－（1）で述べたことを足場にして、早速対象に関する再考を開始することにする。身体運動や精神活動を自発的事態として表す再帰的表現異形のうち、本稿が注目している事例群について前節2までに確認したことは以下のことであった：

① 当該再帰的表現異形では、主語が表す人間の領域内で当該現象が自発的に生起・展開しその現象作用が主語の外部には波及しないことが表現されている。
② 当該再帰的表現異形では、主語（＝人間）が主語自身を対格目的語として当該他動詞的行為をしていることは表現されていない。

そして、これらの分析結果①と②は、当該再帰的表現異形が典型的な能動態表現とは異質な表現であることを示唆しており、当該再帰的表現異形にて主語として分節表現されている〝人間〟が、使用されている他動詞の動作主体であることを疑わしいものとするので、この〝人間〟を当該他動詞の動作主体と考える発想を一度根底から相対化して考え直してみることにしたのであった。当該再帰的表現異形が何をどのように分節表現しているものなのかに関する分析は、上記①と②を同時に説明できるような分析でなければならない。そして、他動詞が使用されている当該再帰的表現異形の線条分節構造には、他動詞構文を解析・理解するときの我々の常識的な頭の働きが通用しないことは既に見えている。形態－統語論の常識が分析にかけてくる縛りを慎重に除去しながら、当該再帰的表現異形が何をどのように分節表現しているのかについて、心理的実在性があると考えられることを探ってみることにしよう。

人間を主語とする当該表現に対格再帰代名詞が生起するのは、当該人間自身が何らかの作用を被っているという認識表象が根底にあるからに他ならない。このことと、上記①を重ね合わせてみるならば、主語自身に及ぶ作用は内因性（または内発性）のものであると考えざるを得ない。そしてその内因とは、主語（＝人間）が自ら遂行する身体運動ないし精神活動に伴って主語の内界に発生・展開する統合表象過程であることは明らかである。後続の節でも再度言及するが、①でいう主語が表す人間の領域とは、当該人間の身体あるいは内的表象世界（それゆえ認識世界）を意味する。以上のことから、当該再帰的表現異形が表現していることは、人間が自ら遂行する行為に伴ってその人間の内界に発生・展開する作用が当該人間自身に及び、それにより当該行為者自身が影響を受けている、という自閉性の度合いが強い表象であると考えられる。ただし、上記②との関連で注意すべきは、上で述べた主語自身に及ぶ作用は、当該再帰的表現異形に生起する他動詞で表現される作用と同一視することはできないという点である。主語自身に及ぶ作用は、主語が遂行する身体運動や精神活動によって惹起される作用と勿論連続体を成すと考えられるが、他動詞が表す作用そのものなのではない。当該再帰的表現異形では、主語が自ら遂行する行為に伴って主語の内界に発生・展開する作用が主語自身に及ぶことは表現されているが、主語自身に及ぶ作用がどのような作用なのかについては具体的には言語化されていないのである。

身体運動や精神活動を自発的事態として表す再帰的表現異形に対格再帰代名詞が生起するのは、主語が自ら遂行する当該行為に伴って主語の内界に発生・展開する作用が主語自身に及んでいることを主語と対格再帰代名詞の同一性によって表現する必要からであって、当該対格再帰代名詞は使用される他動詞の意味的結合価によって生起するものではないと分析できる。因みに、当該再帰的表現異形に生起する再帰代名詞が対格に立つのは、ドイツ語では動的な作用関係を対格で表現するからである。形態－統語論に軸足を置く先行研究およびドイツ語規範文法も、当該対格再帰代名詞を「意味的に空な動詞補足成分」あるいは「動詞の一部[8]」と長年来分析・記述してきたことにより、実質的に、使用される他動詞の意味的結合価が当該対格再帰代名詞を要求していないことを認める結果となっている。節1－(1)で述べた通り、形態－統語論的先行研究の上記定式化に本稿は賛同できないが、どのような理論に立って分析しても、当該再帰的表現異形に生起する対格再帰代名詞を他動詞の結合価から切り離すような思考に至らしめる何かが当該再帰的表現異形に支配しているのならば、それは興味を引くことである。ともかくも、本稿の分析が正しければ、上記②は無理なく説明がつく。

(24) Joseph kniete sich vor dem Heiligen still hin.［身体運動：再帰的表現］
「ヨーゼフは聖者の前で無言でひざまずいた」

(25) Ich fürchte mich vor dem Zusammenstoß mit ihm.［精神活動］
「私は彼との衝突を恐れているのだ」

上述のごとくに分析できるのであれば、例えば文例(24)や(25)が表現している内容を解析する際には、極論すれば、生起する動詞は単なる変数に過ぎなくなる。主語と対格再帰代名詞の同一性が、主語が自ら遂行する行為に伴って主語の内界に発生・展開する作用が主語自身に及んでいることを表現していると考えればよいのである。

ここで、身体運動や精神活動を自発的事態として表す再帰的表現異形とは異なる構文を示す再帰的表現にも目を向けてみよう。以下に見る構文も人間の内界に生起・展開する心理的事象を表現しているという点では当該再帰的表現異形と基本的に同じだが、以下に示す構文では、認識主体である人間が、概念水準では表象（前提）されているが、明示的に言語化されない。この構文についてもしかし、身体運動や精神活動を自発的事態として表す再帰的表現異形について上述にて行ったのと同様の分析が可能になる。まず、人間が知覚を通して接触する対象の質感（ないし属性）を表現する再帰的表現の事例を観察・分析してみよう。

(26) Seine Hand fühlte sich weich und zart an.
「彼の手は柔らかくきゃしゃな感じだった」

(27) Ihre Behauptung hört sich plausibel an.
「彼らの主張は納得のいくもののように聞こえる」

(28) Ihr Schmuck sieht sich kostbar an.
「彼女の装飾品は高価なもののように見える」

ここに挙げた表現型では、接触を表す副詞 an を前綴りとして有する知覚動詞 anfühlen (「触ってみる」)、anhören (「注意を向けて聞く」)、ansehen (「関心を持って見る」) が用いられており、これらは全て他動詞である。これらの他動詞は全て典型的他動詞用をも有するので、文例(26)—(28)は再帰的表現異形に似ているようにも見えるが、本稿で考察の中心的対象とされている身体運動や精神活動を表す再帰的表現異形とは異なり、認識主体である人間が言語化されず、知覚の対象が主語として分節表現されている。文例(26)—(28)は、対象の物理的状態変化を表現しているのではなく、人間が知覚機能を通して対象に接触したときに人間の脳内に発生する当該対象に関する質感(属性知覚)を表現していることが認識できる。また、これらの事例の分節構造を解析する際、当該質感を知覚するのは主語として分節表現されている知覚対象ではなく、言語化されていないが概念水準では表象(前提)されている人間であるという常識が働く。以上の制約ゆえに、これらの事例に生起する対格再帰代名詞 sich を、人間による外的接触を被る主語（知覚対象）の受け手としての側面を言語化したものと分析すると、相当に無理のある不自然な分析となる。しかし、ここで挙げた表現型では、人間が知覚機能を通して対象に接触することを知覚動詞（anfühlen / anhören / ansehen）が分節表現していて、当該接触によって惹起される知覚作用を接触行為を行った人間自身が被っていることを人間＝対格再帰代名詞という同一性認識表象が表現していると分析すれば、つまり、生起する対格再帰代名詞 sich は言語化されていない〝人間〟を指していると分析すれば、この表現型の分節構造は心理学的にも納得のゆくものとして無理なく説明できる。知覚動詞は、〝人間〟に直接及ぶ心的作用そのものについては何も語っていない。ここに挙げた構文では、接触行為によって人間の統合機構の働きが当該人間の認識世界にもたらした結果、つまり対象の質感ないし属性知覚が形容詞（weich und zart / plausibel / kostbar）で分節表現されている。当該再帰的構文に生起している対格再帰代名詞 sich は、使用されている他動詞の結合価によって要求される対格目的語ではないと解析できる。

次に、同じく人間が関わる対象の質感（属性知覚）を表すが、上掲の文例(26)—(28)とは全く異なる構文を有する再帰的表現を観察・分析してみよう。

(29) Auf diesem Stuhl sitzt es sich sehr gut.
「この椅子は座り心地がとても良い」

(30) In dieser Stadt lebt es sich wunderbar.
「この町の暮らし心地は素晴らしい」

(31) Es schreibt sich gut mit diesem Kugelschreiber.
「このボールペンはよく書ける」

文例(29)—(31)も、認識主体である人間が言語化されない表現である。ここで挙げた表現型に共通する特徴は、認識主体が関わる対象が文例(29)や(30)のように場所として表現されるか、あるいは文例(31)のように道具・手段として表現されること、非人称主語 es が生起すること、対象と関わるときに認識主体が知覚する質感が形容詞（上記文例では順に sehr gut / wunderbar / gut）で表現されること、人間が対象と関わるときの関わり方を自動詞が分節表現していること、そして自動詞が用いられているにもかかわらず対格再帰代名詞 sich が生起することにある。文例(29)で用いられている動詞 sitzen（「座っている」）も、文例(30)で用いられている動詞 leben（「生きる、生活する」）も自動詞である。文例(31)では動詞 schreiben（「書く」）の自動詞用法が現れている。これらの動詞の結合価は対格目的語を要求しない。この表現型にて生起する非人称主語 es は言語化されていない人間の心理、すなわち表象世界を表していると考えられるが、意味論理の制約ゆえに、この非人称主語 es が自分自身を対格目的語とする自動詞行為を行っているという解釈は排除される。これらの文例(29)—(31)に現れる対格再帰代名詞 sich は、言語化されていない人間の心理を表す非人称主語 es を指していると考えてよい。この再帰代名詞 sich も、上掲の文例(26)—(28)に生起する対格再帰代名詞の場合と同様、人間が対象と関わるときに人間の内部で発生する知覚作用を人間自身が被っていることを心理（表象世界）＝対格再帰代名詞という同一性認識表象によって表現する要請から生起したものと分析できる。これらの事例に現れる自動詞は、人間が対象と関わるときの関わり方を分節表現しているが、人間が対象と関わるときに人間自身に直接及ぶ心的作用そのものは分節表現していない。つまり、この対格再帰代名詞 sich も動詞結合価支配とは関係のないところから生起していると分析できる。

身体運動や精神活動を表す再帰的表現の歴史は古く、古高ドイツ語（七五〇?—一〇五〇?）はおろか、古高ドイツ語以前のゲルマン語派に属する諸語において既に姿を現している。このことについては後続の節3にて歴史比較文法による記述を紹介しながら言及するが、上記の歴史的事実から、或る部類の身体運動や精神活動については、当該行為に伴って内的に発生・展開する作用が当該行為を行う人間自身に及びそれにより当該行為者自身が影響を受ける、という観念がかなり古い時代から当該言語話者達の思考（事態表象）に支配していたことが窺える。彼らの思考では、或る種の身体運動や精神活動はこうした観念表象をもってする以外に分節表象できないものであったのであり、当該行為・活動を表す言語表現に再帰代名詞が生起するには必然性があったのである。上述のような観念が生まれたには、例えば社会言語学が関心を向けるような要因があったのかも知れない。しかし、自己意識の働きに照らして考えると、上記観念は、特定の人種・言語・文化・宗教等の特異性に帰して説明しなければならないほど特殊なものでもなければ、様々な憶測を呼ぶ特段に神秘的な観念でもなく、むしろ、人間一般の心的世界に発生しても不思議ではない表象の一形態であるように思える。

それが自発的なものであると解釈されるか否かに関わりなく、身体運動や精神活動を可能にしている人間の脳の統合機構は、その都度の状況全体およびその状況の中での自らの行為というものを統合表象として表象している。この表象とは、各種感覚性情報、運動性情報、概念表象、記憶心像等がその都度必要となる機能に適うように非原子論的に上へと統合されることにより成立する様式特異性を超えた統合表象過程である。統合機構がこうして自ら生み出した統合表象を統合機構自身が自己再帰的に意識し表象できる脳機能が自己意識と一般に呼ばれているわけだが、自分の行為に伴って内的に発生・展開する作用が自分自身に及びそれにより自分自身が影響を受けている、という内向性の観念表象を意識できる自己意識は、一人称の自己意識、つまり、当該行為を実際に行う人間本人の自己意識だけである。従って、こうした観念表象をもって言語化される当該再帰的表現異形は、主語（＝人間）が一人称のものが原型であると考えられる。

因みに、Dal(1966: 155-156）によると、再帰的表現構造は、元来は、意識を有する人間が主語である場合にのみ用いられていた。ゴート語ではこのことについての例外は散発的にしか見られない。これに対し、古高ドイツ語では主語が人間ではない事例の数が格段に増加し、新高ドイツ語では多数観られるようになる。こうした変化の過程では、人間が主語になる場合と、人間以外の事物・現象が主語になる場合との意味用法も分化していったことが考えられる。

(ii) 事象圏域としての主語

身体運動や精神活動を自発的事態として表す再帰的表現異形では、以下のように説明の便宜上二つに分ける形で記述できる表象内容が、主語＝対格再帰代名詞という同一性認識表象を用いることによって同時・統一的に表現されている。

(X) 主語が表す人間の領域内で身体運動や精神活動が自発的に生起・展開し、その行為作用は主語の外部には波及しない。

(Y) 主語が自ら行う身体運動や精神活動に伴う作用が主語自身に及び影響を及ぼしている。

上記(X)でいう主語が表す人間の〝領域〟とは、主語が表す人間の身体あるいは内的表象世界を指しており、当該人間がその都度支配できる行動範囲や社会的範囲を指すのではない。以下では、(X)および(Y)でいう〝身体運動〟も〝精神活動〟も、主語として分節表現されている人間が当該行為を遂行する際に当該人間の脳内に発生・展開する動的・継時的な統合表象過程という次元に読み換えて考察を進めることにする。ここで念の為に補足しておくと、筋運動表象だけが支配する純粋な身体運動表象などというものは心理学的水準には出現し得ないのと同様、運動性表象を完全に捨象した純粋な精神活動表象などというものも心理的実在性がないものである。身体運動に関連して出現する表象も、精神活動に関連して出現する表象も、各種感覚性情報、運動性情報、概念表象、記憶心像等が非原子論的に上へと統合されることにより成立する複合的な統合表象である。当該再帰的表現異形を成立させたのはこのような神経心理学的事実に関する表象なのではなく、人間の素朴な内観に基づく主観的表象であるが、上記(X)と(Y)が両立するような表象が成立し得るのは、身体運動関連表象も精神活動関連表象も上述のような複合的統合表象だからであると考えられる。

上記(X)と(Y)の内容が統一的に表現されることと整合するような予測を検討した結果、本稿では、行為者が自ら遂行する身体運動や精神活動に伴って当該行為者の内界に発生・展開する事態表象過程の中に行為者の自我表象が融解しているような表象過程が原表象として根底になければ、(X)と(Y)が統一的に表現されるような言語表現は出現し得ないと分析した。そして、当該再帰的表現異形に生起する主語は、上記の原表象過程そのものを主語概念に書き換え言語的に分節表現したものであると考えた。さて、当該再帰的表現異形に生起する主語について上述のごとく予測できるのであれば、そこから何が分かってくるであろうか。まず、結論を先に提示し、詳しい説明は後で行うことにしよう。上述のように予測できるのであれば、当該再帰的表現異形については以下のような関係が成立すると考えられる。

(a)　主語概念⋒事態表象過程

(b) 主語概念·∥·動詞的概念

上記(a)では、PがQからの連続的変換によって発生しPがQに連続体として包含される関係にあることをP⊂Qと表している。上記(b)における関係記号·∥·は、関係項が、完全な合同条件を満たす関係にあるわけではないが、心的意味の点では相互から区別できないことを表している。

では、詳しい解説に移ろう。身体運動や精神活動を自発的事態として表す再帰的表現異形が言語性表象水準で表現している内容は、何段階かの表象変換（書き換え）を経て成立したものであると考えられるが、それら書き換えの〝原本〟としての原表象過程は、既に述べたごとく、当該行為の遂行に伴って行為者の内界に発生・展開する事態表象過程の中に行為者の自我表象が融解しているような表象過程であると推測される。言うまでもなく、こうした事態表象はドイツ語話者達の脳による主観的解釈の産物であって、民族・文化の違いを超えた一般妥当性を有するものではない。こうした原表象水準においては、当該行為の遂行に伴って行為者の内界に発生・展開する事態表象過程は、行為者が自己再帰的に認識している行為表象であると同時に、行為者の自我表象でもある。言い換えれば、行為表象と自我表象が一つの統一的な事態表象過程に統合されているのである。それゆえ、行為者が身体運動や精神活動を遂行する際に当該行為者の脳内に発生・展開する事態表象過程そのもの（行為者の認識・表象活動そのもの）は、主語概念へと書き換えられる素質を有していると考えられる。少なくとも否定できないことは、非言語性の原表象過程では行為者の自我表象は当該事態表象がその中で発生・展開する閉じた容器のようなものとして表象されているのではないということである。当該再帰的表現異形が表現する上記(Y)の内容、すなわち、主語が自ら行う身体運動や精神活動に伴う作用がその主語自身に及び影響を及ぼしているという事態は、非言語性の原表象水準では、行為者が自ら遂行する身体運動ないし精神活動に伴って行為者の内界に発生・展開する事態表象過程（すなわち認識主体としての行為者の認識・表象活動）の中で起きている統一的な一つの内部現象であると考えねばならない。本稿が予測するように、身体運動あるいは精神活動に関する事態表象過程そのものが主語概念に書き換えられ言語的に分節表現されるならば、主語概念は当該事態表象過程の外部に出ることはできないはずである。その意味では、主語概念は常に当該事態表象過程の内部にいることになる。当該事態表象過程に伴って発生する作用が当該事態表象過程の内部（それは実質的には行為者の認識・表象活動）に影響を及ぼすという非言語性表象水準の事態表象が書き換えられて、言語性表象水準では、主語＝対格再帰代名詞という言語的線条分節構造によって表現されていると分析できる。当該事態表象過程が主語概念へと書き換えられ言語的に分節表現される連続的な表象変換過程は、省略や変造を伴う絞り込みの過程と考えられる。当該事態表象過程とそれを書き換えた主語概念は次元が異なるので、安易に等号関係で結ぶことは危険である。ここで、ＰがＱからの連続的変換によって発生しＰがＱに連続体として包含される関係にあることを$P \subseteq Q$と表すとすると、主語概念と事態表象過程の関係は以下のように書けるであろう。

(a)　主語概念⋒事態表象過程

身体運動や精神活動を自発的事態として表す再帰的表現異形における主語概念と当該事態表象過程は、心的言語過程では認識上相互から原子論的には区別できない関係にあると考えられる。以上に述べたことの理解を助けるために、認識・表象能力と言語能力を備えた流動現象という架空の存在が登場する以下のような話を仮定して簡単に説明し直してみよう。

流動は自分の意志で自発的に流動しているつもりでいる。ところが、流動を自ら生み出し支配・制御しているはずの流動は、自分自身である流動によって流体力学的な作用や温度変化等の様々な作用を被っていることに気が付く。こうした事態を流動は、自分自身である流動を主語に書き換え、また自分自身である流動を動詞に書き換えることにより言語化してみた。

非言語性表象水準にある、身体運動や精神活動に関する事態表象過程は、上記の架空の話における流動に相当すると考えてよい。流動に伴って発生する作用が流動自身に及ぶという事態は、流動現象（＝認識主体である流動の認識・表象活動そのもの）の内部で起きる統一的な一つの事態である。流動は、自分自身である流動の中にしか存在し得ず、自分自身を主語にして流動に関する事態を言語化しても、主語概念は依然として流動の中にいる。主語概念は、流動自身の認識・表象活動である流動現象の書き換え以外の何ものでもないからである。

非言語性の原表象水準では行為表象と自我表象が一つの統一的な事態表象過程に統合されていたものを、主語概念と動詞的概念とに分解する形で言語化したものが当該再帰的表現異形であると考えられる。その際、動詞的概念は、当該再帰的表現異形に生起する他動詞が単独で表現しているのではなく、主語と対格再帰代名詞と当該他動詞から成る線条分節構造全体が表現している。このように分析できるのであれば、当該再帰的表現異形における主語概念と動詞的概念は、一方が他方を積極的に排除するような言語性表象を心的言語過程で生み出すとは考え難い。端的に言えば、当該再帰的表現異形では、

(b)　主語概念≒動詞的概念

という関係[(9)]が成立し得ると考えられる。上記(b)における関係記号≒は、関係項が、完全な合同条件を満たす関係にあるわけではないが、心的意味の点では相互から区別できないことを表している。身体運動や精神活動を自発的事態として表す再帰的表現異形の根底にあると本稿が推測する原表象過程、すなわち、当該行為の遂行に伴って行為者の内界に発生・展開する事態表象過程の中に当該行為者の自我表象が融解しているような非言語性表象過程では、事象が事象そのものとして

発生・展開する世界が表象されていると考えられる。事象が事象そのものとして発生・展開するような事態を、簡略化の為に、以下では仮に werden（「なる」）的な自発的事態と呼ぶことにする。werden 的な自発的事態には、当該事態を意志で支配・制御する〝行為者〟は不在なので、当該事態が言語化される場合には、例えば以下のような主語が生起しない発話が現れ得る。

(32) Mir ist nach dem Essen schlecht geworden.
「私は食後に気分が悪くなった」

文例(32)では、人間の意志とは無関係に発生する感覚・知覚・生理現象が表現されているので、主語が生起しないことには合点がいく。文例(32)の自動詞構文では感覚・知覚・生理現象を認識する主体は与格（上記文例では mir）で表現される。この与格の意味役割は「経験者」であるとも解釈できるが、現代ドイツ語の与格に相続されているゲルマン祖語の時代にあった所格ないし位格(Lokativ)の機能の方を重視し、この与格は感覚・知覚・生理現象が生じる「場所」を表していると考えることもできる。この文例(32)は、感覚・知覚・生理現象を werden（「なる」）で表現したものである。しかし、身体運動や精神活動を自発的事態として表す再帰的表現異形が表現している内容は、主語（＝人間）が自発的意志で遂行する行為ではなかろうか。人間の意志に基づく自発的行為を表す表現の根底に、werden 的な事態表象があるというのは矛盾しているように思えるが、当該再帰的表現異形が表現している上記(Y)の内容、すなわち、主語の行為によって発生する作用・影響が主語自身に及ぶという現象は、人間の意志によって随意に引き起こすことができる現象ではない。(Y)の内容は、上記文例(32)が表す内容と同様、werden 的な自発的現象と言えるが、(Y)の内容に相当する表象は、主語概念が事態表象過程の内部にいることにより成立し得るものであると考えられる。

身体運動や精神活動を自発的事態として表す再帰的表現異形が表現している内容は、人間の自発的行為であると同時に werden 的な自発的事態でもある事象とでも言えるような、論理的には矛盾した内容ということになる。本稿では、当該再帰的表現異形の根底にある非言語性の原表象過程は、言語性表象水準へと連続階層的に書き換えられた後も、その基本構造と機能を大きく変えることはしていないと分析する。つまり、当該再帰的表現異形が表現していることは、本質的には、事象が事象そのものとして生起・展開するような世界であると考える。しかし、当該再帰的表現異形に生起する主語の意味役割はどのようなものかを判定する上で重要な根拠となるのは、上記の表現内容なのではなく、主語概念が事態表象過程の内部にいるという関係、正確に言えば、前述までの考察が出した下記の結論である。

(a) 主語概念⊂事態表象過程

(b) 主語概念≒動詞的概念

言語性表象水準において主語概念が事態表象過程の内部にいる場合、確かに主語概念は話者の心的過程に出現してはいるものの、上記(b)の関係が成立するゆえに主語概念は行為概念から明確には分節されないので、言語性表象水準では、「主語が行為を生み出す主体」という分節概念は成立し難い。当該再帰的表現異形に生起する主語は、疑いもなく〝行為者〟を表しているが、主語概念が事態表象過程の内部にいる場合には、この主語が動作主体という意味役割を負う度合いは低いと考えられる。再帰的表現に関し、Wöllstein(2016: 408)では、主語が単に動作主体としてではなく、完全にあるいは部分的に非動作主的な意味役割でも事態に関与していると分析できる事例がいくつか挙げられているが、それらは全て人間が主語となる事例であり、身体運動や精神活動を自発的事態として表すものについては、sich aufrichten(起き上がる、身を起こす)、sich bücken(身をかがめる)、sich erheben(身を起こす、立ち上がる)、sich hinknien(ひざまずく)、sich hinlegen(横になる、就寝する)、sich strecken(体を伸ばす、背伸びする)、sich (hinab)beugen(〔下へ〕身をかがめる)、sich umdrehen(振り返る、振り向く)、sich anlehnen(寄りかかる、もたれる)、sich beklagen(苦情を言う、愚痴をこぼす)、sich beschweren(苦情を訴える)、sich brüsten(胸を張る、威張る、自慢する)、sich rühmen(自慢する)、sich ängstigen(恐れる、不安がる)、sich ärgern(怒る、腹を立てる)、sich aufregen(興奮する、憤慨する)、sich begeistern(感激・熱中・熱狂する)、sich fürchten(恐れる、怖がる)、sich trösten(自らを慰める、気を紛らわせる)、sich erinnern(思い出す、覚えている)、

sich interessieren（興味・関心を抱く）らが挙げられている。これらのうちから sich erheben と sich beklagen を取り上げて文例を眺めてみよう。

(33) Sein Großvater erhob sich vom Stuhl.［再帰的表現異形：身体運動］
「彼の祖父は椅子から立ち上がった」

(34) Herr Schneider beklagt sich oft über seine Kollegen.［再帰的表現異形：精神活動］
「シュナイダー氏はよく同僚のことで愚痴をこぼす」

Wöllstein(2016: 408) の記載を見る限りでは、身体運動や精神活動を自発的事態として表す再帰的表現異形に生起する主語の意味役割が動作主体と解釈される度合いは、個々の事例によって微妙に異なると解釈されているようである。理論上は、その度合いは主語概念が事態表象過程の外部へ出る度合いに依存して決まるということも考えられなくはないが、当該再帰的表現異形については、主語概念は基本的に事態表象過程の外部へ出ることはできないと本稿では分析している。当該主語の意味役割が動作主体と解釈される度合いが個々の事例によって異なる可能性を全面的に否定するつもりはないが、この可能性についての議論では、主語概念が事態表象過程の内部にいるか或る程度外部へ出るかの問題とは直接的には関係のない、表現される個々の行為に関する観察者の主観的解釈が問題になっていることが疑われる。いずれにせよ、本稿の枠内で今回行われた調査・分析では、当該再帰的表現異形に生起する主語の意味役割は、伝統的なドイツ語文法学の枠内でいう意味での動作主体とは明らかに性質が異なるものと判定された。本稿では、当該再帰的表現異形に生起する主語は、行為表象と自我表象がその中に統合されている事態表象過程そのものが主語概念に書き換えられ言語的に分節表現されたものと推定した。当該再帰的表現異形に生起する主語は、概念水準では行為概念と等価性を示しつつ、表現される事象が生起・展開する圏域あるいは場が行為者であることを表している、というのが本稿の見解である。ここでいう圏域とは、主語の身体あるいは内的表象世界を指す。以上の考察に基づき、本稿では、当該再帰的表現異形の態は、伝統的なドイツ語学が知っている能動態には分類できない態に属していると判断するに至った。また、主語が自ら行う身体運動や精神活動に伴う作用が主語自身に及び影響を及ぼしている、という当該再帰的表現異形の表現内容の構造には、受動的な意味に解釈できなくはない部分があるが、当該再帰的表現異形が表現している内容は、人間の自発的行為であると同時に werden 的な自発的事態でもある事象であって、受動的な意味とは明らかに構造も性質も異なる。当該再帰的表現異形の態は、典型的な受動態にも分類できない態に属していると判定できる。

次に、当該再帰的表現異形と対比しながら自動詞表現について見てみよう。

(35) Herr Schneider klagt oft über seine Kollegen.［自動詞表現：精神活動］
「シュナイダー氏はよく同僚のことで愚痴をこぼす」

再帰的表現異形の例(34)では他動詞 beklagen が生起するのに対し、文例(35)では、自動詞 klagen が生起している。自動詞表現(35)では、主語概念は、行為表象過程の外部にいて、主語概念と動詞的概念は相互から明確に分節されている。それゆえに、文例(35)は、主語が行為を遂行することを普通に表現し得ており、主語は動作主体としての意味役割を問題なく獲得できる。ここで述べたことは、当該再帰的表現異形が表す自動詞的意味と自動詞構文が表す自動詞的意味との違いに関する説明も既に含んでいるが、以下でその違いを、話の重複を恐れることなく簡潔に整理してみよう。ドイツ語学では、対格目的語を要求する動詞が他動詞として定義され、対格目的語を要求しない動詞は全て自動詞に分類される。つまり、目的語をとる動詞であっても、それが対格目的語でない限り、自動詞に分類される。身体運動や精神活動を表す再帰的表現異形の意味と自動詞構文の意味との決定的な違いは、前者では主語概念が事態表象過程全体の内部にいて主語概念と動詞的概念の区別が曖昧であるのに対し、後者では主語概念が行為表象過程の外部にいて主語概念と動詞的概念が明確に分節されているという点にある。分かり易さを優先して、これを敢えて乱暴に簡略化して言い換えるならば、当該再帰的表現異形では主語概念は動詞的概念の内部にいるのに対し、自動詞構文では主語概念は動詞的概念の外部にいるのである。

Brinkmann(1962: 218)は、当該再帰的表現異形について、主語－述語関係の形成法の点で特殊であり、体系の中で特殊な地位を占めているという旨の発言をしているが、当該再帰的表現異形の表す意味はそこに現れる文成分に認められるいわゆる統語機能ないし文法機能だけからでは適切に解析することができないのは事実であり、その意味では、確かに当該再帰的表現異形は特殊な表現型に属していると言えそうだ。当該再帰的表現異形を生み出した人々の思考はおそらく単純で素朴なものであったのであろうが、その思考過程を忠実に再現することは容易ではない。

3 中動態と再帰的表現

中動態は、古い時代の印欧諸語が有していた態である。歴史比較文法の記述[10]によれば、ゲルマン語派では一般に、「中動態的な意味」(mediale Bedeutung)を表現するために再帰的表現(正確には、本稿の枠内でいう再帰的表現異形と真正再帰表現に相当する表現)が用いられていたという。例えばDal(1966: 155)にて「主語と目的語の同一性が動詞行為に中動態的な性格を付与している」ものとして挙げられているドイツ語の事例のほとんどは、本稿の節1－(1)にて再帰的表現異形および真正再帰表現の例として挙げたものに合致する。歴史比較文法の記述に敬意を払うならば、現代ドイツ語に観られる再帰的表現異形と真正再帰表現が中動態とは全く無関係な表現であるとは言い切れない。しかし、どの時代段階のドイツ語にも形態－統語論的に定義可能な中動態という態が存在したことはない。現代ドイツ語規範文法学の枠内には、中動態(Medium)という用語・概念自体がそもそも存在していないのである。現代ドイツ語において中動態的な意味が再帰的構文で表現され得るとしても、古い時代の印欧語が有していた中動態に関して先行研究が与えた定義から出発し先入観を抱いた状態で現代ドイツ語の再帰的構文を分析することは、控えめに言っても危険である。それゆえ本稿では、中動態という概念を敢えて一切排除し、現代ドイツ語学と心理言語学の共時的研究理論の枠内で調達可能な概念だけを使用して考察・分析を試みる方針を採った。本稿が考察の中心的対象としたのは身体運動や精神活動を表す再帰的表現異形で、本稿で行った考察は再帰的表現全般を網羅した考察とはなり得てはいない。本稿の極めて絞られた考察から得られた結論の要旨は、以下のようにまとめられるだろう。

(A) 身体運動や精神活動を表す再帰的表現異形では、主語が表す人間の圏域で当該行為が自発的に生起・展開し、その過程作用が主語の外部には波及しないことが表現されている。

(B) 身体運動や精神活動を表す再帰的表現異形の態は、典型的な能動態にも真正の受動態にも分類できない態に属している。

(C) 身体運動や精神活動を表す再帰的表現異形では、本質的には、事象が事象そのものとして生起・展開する世界が表現されている。

中動態を有していた古い時代の印欧語は、態を動詞の屈折語尾によって表す言語であったが、ドイツ語には態をそのように動詞の屈折語尾によって表す仕組みはない。ドイツ語は、基本的に、統語構造によって分析的に態を表現する機構を有する言語である。「再帰的表現が複数の言語圏において中動態を押しのけまたは中動態に取って代わった」という Brugmann (1970: 602) の記述を一応信用するとしても、Brugmann の言うような言語変化は、中動態なるものの表象構造が組み替えられ書き換えられることによって生じたものであるはずで、元にあった古い時代の中動態表象が変わらず固定されたままその言語的分節表現法だけが入れ替わったということは考え難い。本稿が提示した上記(B)の結論では、身体運動や精神活動を自発的事態として表す再帰的表現異形の態は能動態にも受動態にも分類できない態に属しているという評価を述べているが、この評価は、当該再帰的表現異形の態が〝中動態〟に分類できることの示唆にすらなり得ない。ここでは、用語・概念の割り当ての問題と事実の分類の問題を区別する必要がある。当該再帰的表現異形の態をどのような用語・概念で呼ぶべきかは、当該再帰的表現異形の態がどのような態であるのかが厳密に究明された後の問題であろう。本稿が当該再帰的表現異形の態に関して今回提示した結論は、未だ言語学としての答えにはなっていない。筆者は、そもそも態とは何であるかを根本的に問い直すことから始めて、当該再帰的表現異形の態につき検討を続けるつもりである。

【註】

（1） Wöllstein(2016: 407-411)。再帰代名詞を動詞の一部として記述している先行研究については、例えばGrebe(1973: 277)、Drosdowski(1984: 109)、Drosdowski(1995: 108)、Engel(1982: 188)、Schmidt(1977: 203)、Flämig(1991: 370)を参照のこと。

（2） Wöllstein(2016: 408), Drosdowski(1984: 109).

（3） Brugmann(1970: 602)、Dal(1966: 156), Behaghel(1989: 199)、Wöllstein(2016: 409)でも言及されている通り、再帰的表現異形の中には受動的な意味を帯びると解釈できる事例もあるが、そうした事例の少なからぬものが人間以外の事物が主語となる再帰的表現であって、本稿が注目する部類とは同等に扱えない部類に属する表現であると考えられる。

（4） 統合の出発点にあると推定される様式特異的諸情報から、我々が再帰的意識の水準で確認できるような統一的な表象（それゆえ認識）がどのようにして成立するのかが今日でも未解明の問題で、この問題はしばしば「binding problem」とも呼ばれる。従って、「binding problem」は統合問題と言い換えても差し支えない。統合現象は、意識・注意の機能や作業記憶（working memory）の機能との関連でも重要となる。これについては、例えば、苧阪(2000: 10-11)、苧阪（2001: 16-21）を参照。統合という語は、二つ以上の要素を上位の一つの全体の中へ統べ合わせる（まとめる、組み入れる、取り入れる）こと、そしてその際それらの要素群に対する支配が形成されることを意味している。従って、問題となる現象の説明にこの統合という用語を注釈なしで使用するならば、統合以前も統合後も統合される各要素そのものには定量的にも定性的にも基本的に変化が生じないという理解ないし解釈を充分に許す。そうした誤った解釈を排除する意味でも、本稿では統合という用語・概念に非原子論的という修飾語句を付して内容的限定を与えるわけである。私見では、統合という用語よりも融合という用語を用いる方が現象の性質を適切に表現できるようにも思えるが、本稿では一般に広く用いられている統合という用語を踏襲することにした。

（5） ここに挙げた言語性の心的要素群はどれも、言語性統合表象というものを分析的に理解し記述する必要上便宜的に分解したに過ぎない理論上の要素で、それ自体で孤立した心像として単独に出現し機能することは決してない。その意味で、これらの要素は非原子論的要素である。因みに、言語音声と一般に呼ばれている対象の心理的実際は、言語音声（基本的には、当該言語の分節音と超分節音）に関する聴覚性心像（記憶心像）と発声・構音運動心像とが統合された聴覚－運動統合心像で、これは、言語処理に関する聴覚系と運動系が機能統合することによって出現する統合心像である。言語音声それ自体という単一様式の純粋なる音声心像というものは心的には実在しない。聴覚－運動統合心像も、言語性意味表象の非原子論的要素で、意味表象から遊離・独立した形で単独で出現し機能することはない。従って、聴覚－運動統合心像も非原子論的心像と言える。例えば、一方に既に分節されている静的な聴覚－運動統合心像があり、他方に言語化のために既に都合良く分節されている意味的分節単位が何らかの記憶情報として用意されていて、後からこの両者が連合することにより言語性表象が成立するという発想は根本的に間違えている発想なのである。また、音声心像や意味表象から遊離独立している抽象的な形態表象だとか統語表象などというものの心理的実在性はないと言ってよい。

（6） ここでは、Freud(1992: 95-96) の考え方を参考にしている。

（7） 苧阪（2000: 7-8）、苧阪（2001: 7-9）。苧阪（2000: 10）では、意識を「狭義には情報のバインディング」と捉える考え方が述べられている。この考え方では、意識の発現と統合は相互から区別できない現象と捉えられている。

（8） 註1に挙げた文献を参照のこと。

（9） Brinkmann(1962: 222) では、再帰代名詞が主語と動詞的過程の間に同一性をもたらす旨のことが述べられている。しかし、心的言語過程でなぜ再帰代名詞が主語と動詞過程との間に同一性を成立させるのかについて踏み込んだ説明は Brinkmann(1962: 222) では全くなされていない。

（10） Paul(1968: 133), Brugmann(1970: 602-603), Dal(1966: 154-156).

【参考文献】

Behaghel, Otto (1989): *Deutsche Syntax. Eine geschichtliche Darstellung*. Band II. Heidelberg 1989: Carl Winter Universitätsverlag.

Brown, Jason (1977): *Mind, Brain, and Consciousness. The Neuropsychology of Cognition*. New York/San Francisco/London 1977: Academic Press.

Brown, Jason (1988): *The Life of the Mind*. 1988: Psychology Press.

Brinkmann, Hennig (1962): *Die deutsche Sprache. Gestalt und Leistung*. Düsseldorf 1962: Pädagogischer Verlag Schwann.

Brugmann, Karl (1970): *Kurze vergleichende Grammatik der indogermanischen Sprachen*. Straßburg 1970: Verlag von Karl J. Trübner.

Burri, Alex (1997): *Sprache und Denken. Language and Thought*. Berlin/New York 1997: Walter de Gruyter.

Dal, Ingerid (1966): *Kurze deutsche Syntax auf historischer Grundlage*. Tübingen 1966: Max Niemeyer Verlag.

Damasio, Antonio R. (1994): *Descartes' Error. Emotion, Reason, and the Human Brain*. New York 1994: A Grosset/Putnam Book.

Damasio, Antonio R. (1999): *The Feeling of What Happens. Body and Emotion in the Making of Consciousness*. New York/San Diego/London 1999: Harcourt Brace & Company.

Drosdowski, Günther (1984): *Duden 4. Grammatik der deutschen Gegenwartssprache*. Mannheim/Wien/Zürich 1984: Dudenverlag.

Drosdowski, Günther (1995): *Duden 4. Grammatik der deutschen Gegenwartssprache*. Mannheim/Leipzig/ Wien/Zürich 1995: Dudenverlag.

Edelman, Gerald M. (1992): *Bright Air, Brilliant Fire. On the Matter of the Mind*. 1992: Basic Books.

Engel, Ulrich (1982): *Syntax der deutschen Sprache*. Berlin 1982: Erich Schmidt Verlag.

Faust, Miriam (2012): *The Handbook of the Neuropsychology of Language*. Volume 1. Language Processing in the Brain: Basic Science 2012: Blackwell Publishing. 2012.

Faust, Miriam (2012): *The Handbook of the Neuropsychology of Language*. Volume 2. Language Processing in the Brain: Clinical Populations 2012: Blackwell Publishing. 2012.

Flämig, Walter (1991): *Grammatik des Deutschen. Einführung in Struktur- und Wirkungszusammenhänge*. Berlin 1991: Akademie Verlag.

Freud, Sigmund (1992): *Zur Auffassung der Aphasien. Eine kritische Studie*. Frankfurt am Main 1992: Fischer Taschenbuch Verlag.

Freud, Sigmund (1942): *Gesammelte Werke*. 5. Band. Frankfurt am Main 1942: Fischer Verlag.

Freud, Sigmund (1946): *Gesammelte Werke*. 10. Band. Frankfurt am Main 1946: Fischer Verlag.

Freud, Sigmund (1940): *Gesammelte Werke*. 13. Band. Frankfurt am Main 1940: Fischer Verlag.

Gipper, Helmut (1963): *Bausteine zur Sprachinhaltsforschung. Neuere Sprachbetrachtung im Austausch mit Geistes- und Naturwissenschaft*. Düsseldorf 1963: Pädagogischer Verlag Schwann.

Gipper, Helmut (1992): *Theorie und Praxis inhaltbezogener Sprachforschung. Aufsätze und Vorträge 1953-1990*. Band II. Sprache und Denken in sprachwissenschaftlicher und sprachphilosophischer Sicht. Münster 1992: Nodus Publikationen Münster.

Gipper, Helmut (1993): *Theorie und Praxis inhaltbezogener Sprachforschung. Aufsätze und Vorträge 1953-1990*. Band V. Inhaltbezogene Sprachforschung im Rahmen der allgemeinen und historischen Sprachwissenschaft. Münster 1993: Nodus Publikationen Münster.

Glinz, Hans (1973): *Die innere Form des Deutschen. Eine neue deutsche Grammatik*. Bern/München 1973: Francke Verlag.

Grebe, Paul (1973): *Duden 4. Grammatik der deutschen Gegenwartssprache*. Mannheim/Wien/Zürich 1973: Dudenverlag.

Gunkel, Lutz / Murelli, Adriano / Schlotthauer, Susan / Wiese, Bernd / Zifonun, Gisela (2017): *Grammatik des Deutschen im europäischen Vergleich*. Das Nominal. Teilband 1: Funktionale Domäne, Wort und Wortklassen. Berlin/Boston 2017: Walter de Gruyter.

Hillert, Dieter (2018): *Die Natur der Sprache. Evolution, Paradigmen und Schaltkreise*. Wiesbaden 2018: Springer.

Humboldt, Wilhelm von (1972) : *Werke in fünf Bänden. Band III. Schriften zur Sprachphilosophie*. Darmstadt 1972: Wissenschaftliche Buchgesellschaft.

Karmiloff-Smith, Annette (1992): *Beyond Modularity. A Developmental Perceptive on Cognitive Science*. Cambridge/Massachusetts/London 1992: MIT Press.

Libet, Benjamin (2004): *Mind Time. The Temporal Factor in Consciousness*. Cambridge/Massachusetts/London 2004: Harvard University Press.

Müller, Horst M. (2013): *Psycholinguistik—Neurolinguistik. Die Verarbeitung von Sprache im Gehirn*. München 2013: Wilhelm Fink.

Paul, Hermann (1968): *Deutsche Grammatik*. Band III. Tübingen 1968: Max Niemeyer.

Paul, Hermann (1975): *Prinzipien der Sprachgeschichte*. Tübingen 1975: Max Niemeyer.

Pishwa, Hanna (2006): *Language and Memory. Aspects of Knowledge Representation*. Berlin/New York 2006: Mouton de Gruyter.

Saporiti, Katia (1997): *Die Sprache des Geistes. Vergleich einer repräsentationalistischen und einer syntaktischen Theorie des Geistes*. Berlin/New York 1997: Walter de Gruyter.

Schmidt, Wilhelm (1977): *Grundlagen der deutschen Grammatik. Eine Einführung in die funktionale Sprachtheorie*. Berlin 1977: Volk und Wissen Volkseigener Verlag.

Tomasello, Michael (1999): *The Cultural Origins of Human Cognition*. Cambridge/Massachusetts/London 1999: Harvard

University Press.
Tomasello, Michael (2003): *Constructing a Language. A usage-based Theory of Language Acquisition*. Cambridge/
　Massachusetts/London 2003: Harvard University Press.
Werner, Heinz/Kaplan, Bernard (1963): *Symbol Formation. An organismic-developmental approach to language and the*
　expression of thought. New York 1963: John Wiley & Sons.
Wöllstein, Angelika (2016): Duden 4. Die Grammatik. Unentbehrlich für richtiges Deutsch. Berlin 2016: Dudenverlag.

秋元波留夫・大橋博司・杉下守弘・鳥居方策（1982）『神経心理学の源流　失語編』上、一九八二年、創造出版。

甘利俊一・外山敬介（2000）『脳科学大辞典』、二〇〇〇年、朝倉書店。

池上嘉彦（1988）『「する」と「なる」の言語学——言語と文化のタイポロジーへの試論』、一九八八年、大修館書店。

大矢俊明（2000）「認知意味論と中間構文——ドイツ語と英語の差異をめぐって」、『ドイツ文学』一〇四、四二—五
　二頁、二〇〇〇年、日本独文学会編。

苧阪直行（2000）『脳とワーキングメモリ』、二〇〇〇年、京都大学学術出版会。

苧阪直行（2001）『脳と意識』、二〇〇一年、朝倉書店。

苧阪直行（2001）『意識の認知科学——心の神経基盤』、二〇〇一年、共立出版。

坂本真樹（2000）「再帰構文の認知論的ネットワーク——中間構文を中心に」、『ドイツ文学』一〇四、五三—六二頁、
　二〇〇〇年、日本独文学会編。

時枝誠記（1983）『國語学原論——言語過程説の成立とその展開』、一九八三年、岩波書店。

時枝誠記（1983）『國語学原論　續編——言語過程説の成立とその展開』、一九八三年、岩波書店。

山鳥重（1998）『脳からみた心』、一九九八年、日本放送出版会。

中動態は〈主体・客体〉構造の突破口になるのか？
――ラトゥールの「出来事に超過された行為」を手掛かりに

荒金直人

「中動態」という言葉は、「能動態」と「受動態」のどちらでもない、中間的な「態」が存在するかのような印象を与える。そしてそれは、言語的にどのような「態」を指しているのだろうかという疑問を抱かせるとともに、直ちに、能動と受動の二項対立の裏をかく、批判的な概念としての可能性を感じさせる。我々はしばしば現実を、「能動」と「受動」の対立構造、あるいは能動的な「主体」と受動的な「客体」の対立構造を頼りに理解しているが、もしかするとこのような構造は、何か重要なものを見えなくしてしまっているのかもしれず、中動という概念は、この構造を解体して、我々の視野を広げてくれるかもしれない、というわけである。

國分功一郎の『中動態の世界』[1]、その中でも特に、中動態について直接的に論じている第一章から第六章までは、この概念について改めて正面から考えてみる意欲を掻き立ててくれた。そして私は、この概念の批判的射程について、私自身の問題意識の中で整理しておく必要があると感じた。私自身の問題意識とは、ブリュノ・ラトゥールの思想との関係である。ラトゥールは、『近代の〈物神事実〉崇拝について』[2]の中の「いかにして「出来事に超過された」行為を理解するのか」と題された節の中で、中動態について言及しながら、彼の思想の極めて重要な側面について説明している。

本稿の目的は、ラトゥールの「出来事に超過された行為」についての議論を手掛かりに、中動態という概念の思想上の批判的射程を探ることである。そのために、ラトゥール自身も言及しており、中動態問題の出発点とされるべき、バンヴェニストの古典的論文「動詞の能動態と中動態」[3]の論点を整理することから始めたい。

1　バンヴェニストの「中動態」

まずは、この論文で示されているバンヴェニスト自身の問題意識について確認しておこう。この論文は次の一文で始まる。

能動態 actif と受動態 passif の区別は、われわれの思考の習慣ではこなし切れないような動詞の範疇の好箇の一例と言うことができる。　(168／一六五)

次の一節にも注目しておきたい。

問題は、〈能動・受動〉の区別より正統的であるか否かを見ることではない。どちらも一つの言語体系のもつもろもろの必然に支配されているのであって、まず必要なことはこれらの必然を〔……〕認識することである。

（169／一六六）

ここでは簡単に、以下の二点について確認しておく。

① バンヴェニストによれば、〈能動・受動〉の区別自体が、我々の思考習慣にとって自明なものではない。

② バンヴェニストによれば、〈能動・中動〉の区別を〈能動・受動〉の区別による隠蔽から解放すべきという立論は適切ではない。それぞれの区別を支配する言語体系上の必然性を認識すべきである。

以上のような問題意識の下で、バンヴェニストは、以下のように中動態の定義を試みる。まずは動詞の「態」についての説明を見てみよう。

印欧語の動詞の固有の特徴をなしているのは、それが主辞を指向していて目的辞を指向しているのではないことである。〔……〕したがって残るのは、叙法と時称、そして何よりも、動詞における主辞の基本的なかまえ diathèse であるところの〈態 voix〉である。これは、過程に関しての主辞の態度を示し、これによって過程はその本源において限定を受けることになるのである。

(169-170／一六六—一六七)

③　印欧語の動詞の態は、能動、中動、受動のいずれの場合も、「過程に関しての主辞の態度を示す」。つまり、主辞によって示される主体と動詞によって示される過程（ないし行為）を前提とし、両者の関係を規定する。[4]

次に、バンヴェニストによる中動態の定義を確認する。

> 能動態においては、動詞は、主辞に発して主辞の外で行われる過程を示す〔les verbes dénotent un procès qui s'accomplit à partir du sujet et hors de lui〕。これとの対立によって定義されるべき態であるところの中動態では、動詞は、主辞がその過程の座であるような過程を示し〔le verbe indique un procès dont le sujet est le siège〕、主辞の表わすその主体は[5]、この過程の内部にあるのである。
>
> (172／一六九)

> 能動態と中動態の差を行為の動詞と状態の動詞の差に一致させようとしても問題はいささかも片づかない。
>
> (172／一六九—一七〇)

中動態の場合、主辞は、過程の場所であり、このことは、〔……〕その過程が目的辞 objet を要求するときにも変りはない。（172／一七〇）

しかし〈能動〉と〈中動〉という用語のかわりに〈外態 diathèse externe〉と〈内態 diathèse interne〉という観念を用いることに定めるならば、この範疇は、動詞形がになう範疇の群の中で容易にその必然性をとりもどすことになる。（174／一七二）

以上のことは、次のように簡単まとめることができる。

④ 能動態においては主体は過程の外部にあり、中動態においては主体は過程の内部にある。「行為の動詞」と「状態の動詞」の区別や、目的辞の有無は、〈能動・中動〉の区別と直接的には関係しない。

最後に、バンヴェニストが、能動態と中動態の対立を、主辞が過程を「支配」するのか、それとも過程の「影響」を受けるのかという、主辞と過程の支配関係の対立として特徴付けている点に注意を向けておきたい。

他動詞性 transitivité は、中動から能動へのこの転換の必然的所産にほかならない。かようにして中動態を出発点として、他動詞、使役動詞、あるいは作為動詞と呼ばれる能動態の動詞が構成されるのであるが、これらを特徴づけているのは、どの場合も、主辞が過程の外に置かれて、それからは〔主辞が〕行為者としてこれ〔その過程〕を支配し〔commander〕、過程はその座を主辞に置くのではなく、その目的としての目的辞をとらねばならない、ということである。〔例えば、〕ἔλπομαι「私が希望する」＞ἔλπω「私が（だれかに）希望をいだかせる」、ὀρχέομαι「私は踊る」＞ὀρχέω「私が（だれかを）踊らせる」。（173／一七〇）

こうした〔能動と中動の〕対立は、どの場合にも、結局は、主辞が過程の外にあるか内にあるかに従って主辞の過程に対する立場を位置づけ、主辞が単に事を行うか〔qu’il effectue〕（能動態の場合）、みずからもその影響を被りつつ事を行うか〔ou qu’il effectue en s’affectant〕（中動態の場合）に従って動作主としての資格を定めることに帰着する。（173／一七一）

この点をまとめると次のように言える。

⑤ 能動態においては、主辞は過程を支配ないし指揮して〔commander〕、実行する〔effectuer〕。中動態においては、主辞は過程を実行し〔effectuer〕、同時にその実行の影響を被る〔s’affecter〕。言い換えるならば、バンヴェニストによれば、過程への支配が一方的なのが「能動」、過程からの反作用があり一方的な支配が成立しないのが「中動」である。どちらの場合も、支配の対象とな

るのは過程であり、少なくとも直接的には目的辞ではない。能動態の例として挙げられた「私が誰かを踊らせる」の場合、「私」が支配しているのは「踊らせる」という過程ないし行為であり、必ずしも「誰か」を支配しているとは限らない。

2 「中動態」の批判的射程

以上のことを踏まえて、中動態という概念の思想上の批判的射程を探るという、我々の課題に戻りたい。改めて考えてみよう。冒頭で述べたように、我々はしばしば、能動と受動という対立構造を頼りに現実を理解している。そしてこの対立構造は、しばしば、能動性の担い手としての「主体」と受動性の担い手としての「客体」の対立構造、いわゆる「〈主体・客体〉構造」として解釈される。この場合、現実は主体と客体の関係に基づいて理解されるのであり、その関係とは、主体が客体に働き掛ける関係、つまり能動性の関係であり、逆から見るならそれは、客体が主体に働き掛けられる関係、つまり受動性の関係である。このような理解においては、能動と受動は対称的な概念だと見做される。

バンヴェニストは、〈能動・受動〉の区別自体が、実は我々の思考習慣にとって自明なものではないと考えているので（上述の①）、ここで示したような〈主体・客体〉構造に基づく現実理解は、バンヴェニストの目には、言語学的な意味での〈能動・受動〉の区別の複雑さを不当に単純化した、あるいは自明でないその区別を自明なものとして不当に前提した、表層的なものに見える可能性がある。この観点から、〈主体・客体〉構造に基づく現実理解を批判することが可能である。つまり、そもそも〈能動・受動〉の区別自体が、単純な概念的整理を許さない言語的・歴史的な現実なのだから、その区別を、現実を理解するための普遍的構造として利用することはできない、というわけである。

他方で、若干逆向きの別の観点からの批判として、実はそれ自体として複雑なものである〈主体・客体〉構造を、対称的な関係として単純化された〈能動・受動〉の対立に重ね合わせて理解することに対して、問題視することも可能である。つまり、主体は能動的であるとは限らず、客体は受動的であるとは限らないし、いずれにしても〈主体・客体〉構造は、二項間の単なる「働き掛け」の関係として理解するだけで充分なものではないので、それを〈能動・受動〉という単純な区別で整理することはできない、というわけである。

この辺りの議論は、能動と受動の概念をどこまで言語学的に説得的な水準で捉えるのか、そして主体と客体の概念をどのように有効に定義するのか、といったことに大きく依存する。当然ながら、〈主体・客体〉と〈能動・受動〉という二つの二項対立を単純に同一視することはできないので、むしろ両者の差異について、個々の具体的な事例の中で、その都度丁寧に考察することこそが重要なのかもしれない。

しかし、それでもなお、一般論として、〈主体・客体〉もしくは〈能動・受動〉という対立を頼りに現実を理解し、整理することは、ごく普通のことであるように思われるし、それは多くの場合において、それなりに有効であるようにも思われるので、この対立構造に対して、「中動態」がどのような批判的視座を与えてくれるのか、その可能性を考えてみる余地はある。単純な問いを立ててみよう。「中動態」は〈主体・客体〉構造に対する批判概念として有効だろうか。まずは、バンヴェニストの論文の中で我々が確認した次の二点について指摘しなければならない。

(a) 中動態は、他の態と同様に、主辞の存在を（そして主辞が示す主体の存在を）前提とし、主体と過程の関係を規定している。

(b) 中動態は、目的辞を（そして目的辞が示す客体を）を持つことができる。

したがって、少なくともバンヴェニストが理解した意味での中動態が、主体と客体の存在自体を単純に否定する根拠になるとは言えない。中動態は、主体の存在を前提としている。

しかし、印欧語の態の概念自体が主体の存在ないし安定性を含意する点を理解した上で、それでもなお、中動態が示す〈主体の行為が主体に反作用するために主体が行為を支配し切れない〉という関係（上述の⑤）は、〈主体・客体〉構造が含意するように思われる「主体」と「客体」各々の安定性を、少なくともある程度揺るがすように思われる。この点を、ブリュノ・ラトゥールが中動態に関心を向ける文脈の中で考察したい。

3　ラトゥールの「中動態」

『近代の〈物神事実〉崇拝について』の中の「いかにして「出来事に超過された」行為を理解するのか」と題された節の中で、ラトゥールは以下の図のような漫画の場面から議論を展開する。父親が煙草を吸っている。それを見た娘が「何をしているの、パパ?」と尋ねる。「煙草を吸っているのだけど、それが?」と父親が答える。娘は、「ああ、煙草がパパを吸っているような気がしたの。でも気にしないで」と言う。この言葉に父親は激しく動揺し、持っていた煙草を全て切り刻む[6]。

この話を、ラトゥールは以下の三段階に整理して分析する。

①　父親が煙草を吸っている。
②　「煙草が父親を吸っている」と娘に指摘される。
③　父親が煙草を切り刻む。

この展開は、支配関係の逆転と再逆転を意味する。つまり、

図　Quino, *Le club de Mafalda*, tome 10, Paris: Éditions Glénat, 1986, p. 22.

①　主体が客体を支配している。
②　「客体が主体を支配している」と娘に指摘される。
③　主体が客体を破壊して支配性を取り戻す。

次のように言い換えることもできる。

①　「煙草を吸う」という能動性。主体による支配。
②　「煙草に吸われる」という受動性。客体による支配。
③　「煙草を切り刻む」という能動性。主体による支配の回復

しかし、「ああ、煙草がパパを吸っているような気がしたの」という娘の機知に富んだ言葉の批判性は、ラトゥールの観点からは、表層的なものである。娘は、「主体による客体の支配」という能動的状態を、「客体による主体の支配」という受動的状態に置き換え、後者こそが前者の真の姿であることを示唆した。父親はこの逆転の有効性を認め、それゆえ客体の破壊による再逆転を図る。しかしラトゥールは、娘による能動性から受動性への視点の逆転は、主体と客体の関係の真の姿を暴くものではないと考え

る。この文脈で、中動態への言及が為される。

しかし、もし支配性の不在こそが、能動的形態も受動的形態も我々の結び付きを規定することができないということこそが、むしろ問われているとすればどうだろうか。動詞の能動的でも受動的でもない形態としてギリシア語で「中動態」と呼ばれているものについて、いかにして的確に論じることができるだろうか。〔……〕つまり、「動かすもの」は、それが支配的な主体であろうが原因となる客体であろうが、決して因果性としての力を有していない。そして「動かされるもの」は、必ずその行為を変形するのであり、したがって用具的な客体も物化された主体も生み出さない。（117／一二六）

能動性から受動性への視点の逆転によって、主体と客体の関係がより良く理解されるとは限らない。なぜなら、能動性も受動性も、支配性を前提とした概念だからである。主体と客体の関係（ラトゥールはこれを、「準主体」と「準客体」の関係、あるいは単に「行為者」間の関係と呼ぶ）は、むしろ、支配の不完全性によって特徴付けられるべきである。(7)

言葉を文字通りの意味で取るならば、「煙草が父親を吸う」あるいは「父親が煙草に吸われる」ということはあり得ない。娘が示唆しようとした支配関係の逆転は、実は、当然ながら、そこまでのことを意味してはいない。その誇張表現によって娘が示唆したのは、主体による支配の不完全性であり、より具体的には、「煙草」への、あるいはむしろ「煙草を吸うという行為」への、父親の依存である。煙草を吸うという行為は、煙草による（あるいはむしろその行為による）主体への働き掛けによって、主体が自らの支配性を部分的に喪失する形で成り立っている。「煙草が父親を「吸う」ことはないとしても、しかしながら煙草には、父親に吸わせることは、間違いなくできるのである」（118／一二六）とラトゥールが述べるのは、その意味においてである。主体の支配下にあるように見える煙草を吸うという行為は、実はそこで起こっている出来事に「超過されている」のである。

4　ラトゥールの思想

議論をより明確にしよう。ラトゥールは、世界のあらゆる物事の基本的な在り方を「項と項の関係」として捉える際に、「項」よりも「関係」の方がより基本的なものだと考える。つまり、「項」もまた「関係」によって作られると考えるのである。ラトゥールはこの「関係」のことを「行為」と呼び、「項」のことを「行為者」と呼ぶ。この場合の「行為者」とは、人間や物や概念に至るまで、あらゆる存在者を指しており、「行為」とは、あらゆる存在者に係わるあらゆる作用のことである。このような思想においては、主体と客体は共に「行為」に関与する「行為者」として位置付けられ、能動・受動という役割上の区別は重視されない。

以上の点に関して、ラトゥールの考えを以下のようにまとめることができる。

(a) 行為は行為者の形成に関与する。(つまり関係は項を変化させる。)

(b) したがって、行為者による行為の支配は常に不完全である。

この考えは、まさに中動態によって表現される、〈主体の行為が主体に反作用するために主体が行為を支配し切れない〉という状態を、世界の通常の在り方と見做すものである。

ラトゥールはこの思想を大規模に展開する。ラトゥールによれば、世界は無数の行為者によって作られている。そして行為者たちは行為者間の関係によって作られている。あらゆる安定的な存在は、それが物であれ概念であれ、行為者間の関係の中でそれなりの安定性を獲得することで暫定的に成立しているに過ぎない。これは、絶対的な安定性、例えば「永遠の本質」のようなものを否定する思想であり、全てを関係によって作られたものと見做す思想である。しかし同時に、あらゆるものの被構築性を肯定的に捉える思想でもある。例えば知識は作られたものであるが、それは作り込まれれば作り込まれるほどより信頼性の高いものになると考える。知識も、科学も、政治も、芸術も、あらゆるものは作られており、作ることをやめれば形骸化して、与えられた意味を失う。つまり、ラトゥールにおいては、〈主体が自らの行為を完全には支配しない〉という中動態的な状況が、物事の基本的な在り方として一般化されることで、「項」ではなく「関係」を第一原理とする思想が展開されるのである。

結論

以上の考察から、どのような結論を導き出すことができるだろうか。

中動態は、主体の存在を前提とし、その上で、主体が自らの行為の影響を受けることを示す。したがって、そこでは主体の存在は否定されないが、不安定化される、ということは言える。このような主体の不安定化という事態には、主体と客体という対立項を軸にして、両者が担う能動的・受動的関係によって現実を整理し、理解する構図、いわゆる〈主体・客体〉構造を、大きく揺るがす要因が含まれている。それゆえ、この構造を問題視しようとする思想が中動態に注目するのには、充分な理由があると言える。

能動性と受動性が共に前提とする「支配性」を問題にし、〈主体の行為が主体に反作用するために主体が行為を支配し切れない〉という状態を世界の通常の在り方として一般化するラトゥールの思想は、バンヴェニストによる中動態の定義にそれなりに忠実でありながら中動態というものの言語学的な意味を思想的に展開するものとして、評価できるのではないだろうか。このような方向からであれば、中動態によって〈主体・客体〉構造を脱構築する試みも、有効なのかもしれない[8]。

ただし、そもそもこの〈主体・客体〉構造が、どの程度まで実際に我々の思考を支配しているのか、あるいは支配し切れていないのか、それはまた別の問題である。少なくともバンヴェニストは、能動態と受動態の区別自体が自明なものではなく、むしろ言語体系におけるその必然性を理解することから始めるべきだと述べていた。多少類似した仕方で、我々もまた、〈主体・客体〉構造を自明なものと見做してそれを崩そうとするのではなく、その構造の有効性と必然性をある程度まで認めながらも、それにも拘らずその構造は最初から完全には成立していなかったということを理解することから始めるべきだろう。

行為者は自らの行為を支配し切れずに「出来事に超過されている」というラトゥールの中動態的な観点からは、一般論として、〈主体・客体構造という概念的な行為者〉もまた、自らの行為を支配し切れていない、というところまでは言えそうである。その構造の実際の不完全な支配形態と、その支配の度合いに関しては、別の種類のより具体的な考察が必要になるだろう。

【註】

（1）　國分功一郎『中動態の世界――意志と責任の考古学』、医学書院、二〇一七年。

(2) Bruno Latour, *Sur le culte moderne des dieux faitiches, suivi de Iconoclash*, Paris: La Découverte, 2009. ブリュノ・ラトゥール『近代の〈物神事実〉崇拝について』、荒金直人訳、以文社、二〇一七年。

(3) Émile Benveniste, « Actif et moyen dans le verbe », in *Problèmes de linguistique générale*, tome 1, Paris: Gallimard, 1966, pp. 168-175. E・バンヴェニスト「動詞の能動態と中動態」、『一般言語学の諸問題』、岸本通夫監訳、みすず書房、一九八三年、一六五―一七三頁。以後、カッコ内に原書の該当頁数を算用数字、邦訳書の該当頁数を漢数字で示す。

(4) 「過程に関しての主辞の態度を示す」の原文は「elle dénote une certaine attitude du sujet relativement au procès」であり、ここでは「sujet」が「主辞」と訳されている。主辞とはつまり主語のことであり、文の成分である。〈文の成分である主辞〉の「過程に関しての態度」とは何のことだろうか。「過程」とは〈文の成分である動詞〉によって「示された」ものであり〔次の引用文p.172／邦訳一六九頁を参照〕、主辞や動詞と同じ統語論的次元で文の一部を成しているのではない。つまり「過程」は文の成分ではなく、文の内部にはない。そして、〈文の成分でない過程〉に対して「主辞」が特定の「態度」を取るとき、その「主辞」は純粋に文の内部にはない。そのとき「主辞」は既に、幾分か、「主辞が示すもの」になっている。その「主辞が示すもの」を「主体」と訳すならば、あるいは「主体」と解釈するならば、ここでの「sujet」を、次の引用文と同様に、「主辞の表わすその主体」と訳すことも不可能ではない〔註5を参照〕。このような「主辞」から「主体」への移行が、言語学から哲学への移行を印付けるのかもしれない。

(5) 邦訳文中の「主辞の表わすその主体」という表現は、「sujet」の説明的な訳である。原典では単に「le sujet est intérieur au procès」(「sujet」を「主辞」と訳すなら「主辞はその過程の内部にある」)となっている。しかし、このままでは、①「主辞」が「過程の座である」と同時に「過程の内部にある」ということが矛盾しているように感じられる。②そもそも「主辞が過程の内部にある」という表現は、〈文の成分である主辞〉が、〈文の成分である動詞〉が「示す」〔dénoter または indiquer〕「過程」(こちらは文の成分ではなく、文の内部にはない)の「内部にある」という意味になるので、カテゴリーの混乱をきたしているように感じられる。「過程の内部にある」のは文の成分としての「主辞」ではなく、その主辞が「示す」または「表わす」ものであるはずであり、邦訳者はこれを「主体」と解釈した上で、「主辞の表わすその主体」という説明的な表現を選択したものと思われる。本稿はこの解釈に従って、ここで問題になっているのは「主辞」ではなく「主体」であると考える。ただしこの段階では、この「主体」を例えば「発話主体」として具体的・積極的に解釈する必要はないので、「主辞が示すもの」という最低限の理解に留めておく。動詞が過程を「示す」のと同様に、主辞が主体を「示す」のである。

（6）　Bruno Latour, *op. cit.*, p. 115. 邦訳前掲書、一二四頁。漫画は以下からの引用。Quino, *Le club de Mafalda*, tome 10, Paris: Éditions Glénat, 1986, p. 22.

（7）　引用文中のラトゥールの「支配性の不在」〔l'absence de maîtrise〕という表現は、支配が全く存在しないという意味ではなく、完全な支配が存在しないという意味なので、「支配の不完全性」と言い直すことができる。

（8）　世界の中動態的性質を語るラトゥールの思想は、能動でも受動でもない第三項を単純に提示するのではなく、能動性と受動性がともに前提としている支配性を不完全なものと見做して相対化することによって、〈能動・受動〉の対立構造を、様々な〈支配の度合い〉を暫定的に生み出す関係的構造に置き換える。この関係的構造の中で、能動性と受動性は、その絶対性や純粋性が否定されるとしても、相対的ないし程度的な概念としては否定されず、ある程度有効であり続ける。ここで、行為者の相対的な能動性を、世界の基本的な在り方としての中動性に対置して改めて理解しようとすれば、その能動性は、受動性と対立を成すものとして捉えられていた能動性とは別の意味を持つことになる。バンヴェニストは、受動態と対立を成すものとしての能動態は中動態と対立を成すものとしての能動態と同じものではないことを強調していたが、ラトゥールの思想においても同じことが言える。

〃もう一つの〃芸術、〃もう一つの〃哲学

熊倉敬聡

はじめに

本論は、「中動態」という概念を、究極的には、それについて「考える」、さらにはそれについて「考えない」という「過程」においてまでも、巻き込み、試練にかけ、ほとんど「概念」として体をなさなくなるほどに、あちこちに連れ回し、換骨奪胎した末に、しかしもしかすると、全く別な相貌とともに、今この世界史的過程において息を吹き返すか否か、そのわずかな可能性を垣間見ようとする、学術的には誠に無謀な論考である。こんな無謀な論をあえて企てようとしたのも、本論文集の他の執筆者・研究者たちの、言語学的に、あるいは思想的に、いたって厳密な、中動態をめぐる議論に恵まれたからに他ならない。

本論も、当然のことながら、他の執筆者たちも論の出発点とするエミール・バンヴェニストの有名な中動態の定義――「能動態においては、動詞は、主辞に発して主辞の外で行なわれる過程を示す。これとの対立によって定義されるべき態であるところの中動態では、動詞は、主辞がその過程の座であるような過程を示し、主辞の表わすその主体は、この過程の内部にあるのである」[1]――から出発するが、その「過程」(＝procès には「審級」という意味もある)における「主体」の巻き込まれ、生成変化する様を、まずは「話す」過程から、芸術作品を「作る」過程へと変奏しつつ考察した森田亜紀の『芸術の中動態』にフォーカスして、芸術制作における作者‐作品関係の生成過程――彼女はそれを中動態とみなす――について検討する。

次に、同じ芸術における生成変化において、森田とは異なったベクトル、すなわち動物への、植物への、さらには分子状態への生成変化＝「なる」ことを探究しつづけたジル・ドゥルーズとフェリックス・ガタリの所論を参照しつつ、この「なる」＝「生成変化」する主体が、意外にもある種の「東洋的」瞑想の「観る」過程における主体(の消滅)と通底しつつも、その実存的振る舞いにおいて決定的に袂を分かつ様を瞥見する。

さらには、いわゆる「京都学派」の一人とされる久松真一の「芸道」論を援用しつつ、彼がハイデッガーとの座談会の席上披瀝した「芸術」と「芸道」の存在論的道程の違いに触れ、なかんずく後者が、禅行の過程において「無相」となった主体が、再び世界へと還帰し、再「インカネーション」し、世界と戯れなおす様子を詳らかにする。

そこから今度は、同じ「今ここに在る」という「根源的可能態」=「不能性」から出発しながらも、それを「考え」、「思考し」、「人間」の「世界」を開こうとする（ハイデッガーの）「哲学」と、逆にそれを「考えない」、「思考しない」、それをただ感じ・観じつづけることにより、主体=人間が空無化し、代わりに「大地」が、自然の森羅万象が開かれ、生滅するに任せる「禅」との、思想的・実践的差異を明らかにする。

そして最後に、その思想的にも実践的にも対蹠的で、相容れないはずの、「哲学」と「禅」という二つの実存的営みを、果敢にも「不可能な結合」へともたらさんと生涯を賭した西田幾多郎の、〝もう一つの〟〈哲学〉における〝引き裂かれ〟、そしてその〝引き裂かれ〟自体を楽しむ「世界遊戯」の中に、言語学的に厳密な意味での中動態から限りなく逸脱した、もはや「中動態」と呼ぶことすら憚られる、がしかし、今この世界史的「過程」に巻き込まれつつも生成変化しつづけ、新たに世界史を、戯れつつ作り直そうとする〝もう一つの〟中動態的「主体」とすらいいえぬ主体のおぼろな面影を指し示しながら、とりあえずはこのいたって無謀な論を閉じていこうと思う。

1　芸術制作と中動態

森田亜紀は、その著『芸術の中動態』の狙いを、「中動態という文法概念を思考の範疇とすることで、芸術体験のありようを考察しようとする」こととしている。[2] エミール・バンヴェニストの、先にも引用した中動態の定義――「中動態では、動詞は、主辞がその過程の座であるような過程を示し、主辞の表わすその主体は、この過程の内部にあるのである」――から着想して、さらにロラン・バルトやジャック・ラカン、ジャック・デリダらの中動態に関する言及を参照しながら、作者が制作の中で絶えず生成変化するような過程である芸術制作は、すぐれて中動態的体験なのではないか、と問いかける。そして、モーリス・メルロ゠ポンティやアンリ・ベルグソンといった哲学者、あるいはアンリ・フォシヨンやニコライ・ハルトマンといった美術史家・美学者を経由しつつ、中動態としての芸術制作体験をこのように描き出す。

中動態は、思考の範疇として考えれば、過程の内にあるもの（あることになるもの）が過程の内で生成したり変化したりする事態を指す。過程に外的で自己同一的なものは前提されていない。しかも中動態は、過程の内にあるものが一でありながら二へ向かい、二へ向かいながら一でありつづける事態でもある。一と「二に分けられた一〔ママ〕」とのあいだなのだ。変化や差異を含んだ一、それ自身からずれていく一。同じでものでありながら別のものになる（である）こと、別のものになり（であり）ながら同じものでありつづけること。[3]

敷衍しよう。この中動態としての芸術制作という把握に先立ち、まず森田は「美学」にありがちな「主体－客体」という二項対立的図式に則った制作概念を検討する。その概要を筆者なりにまとめると、次のようになるだろう。――制作の主体である作者の内に前もって作品の何らかの構想＝精神的・意味的なものがあり、それが客体である素材、すなわち物質的・感覚的なものによって作品として表現される。その時、作者は自らの構想を自由に表現しているようにみえて、実は素材の性質によって何らかの制約をうけている。その主体の自由と客体の制約の鬩ぎ合い・渡り合いが作品の「かたち」として現れる。そうした「主体－客体」を基礎とした二項対立的制作概念に、森田は中動態を差し入れることにより、いわば内側から解体しつつ制作概念を再構築しようとする。

つくり手の作者であることは、出来上がった作品から事後的に成立すると考えられる。作品をつくる過程が、主観的なものと客観的なものとの「かたち」を介した相互限定なのであれば、つくり手自身、つくる過程の中で変化していく。それは、出来上がる作品に呼応した変化のはずだ。作品の出来上がることと、つくり手の「作者」になっていくこととは、一つの同じ中動の動的構造をなす。〔……〕つくり手は、出来上がった作品から、遡ってその作品の「作者」になる。作品に先立つ「作者」であることを事後的に引き受ける。〔……〕遡行によって、「作者（である私）」が作品をつくった」と、能動－受動のかたちで出来事を語るようになる。(4)

制作過程は現在進行形で体験される時、それはあくまで中動態的な生成変化の過程であり、そこでは絶えざる差異化――森田はデリダのいう「差延（différance）」と同定する――が一から二へと、二から一へと生成し続けている。その現在進行形の過程・体験を、事後的に振り返り、遡行した時に初めて、その過程・体験から「主‐客」が分離され、それを「自分のつくった作品」（客体＝受動態）であると、「作者」（主体＝能動態）が認めることになる。ちなみに、森田によれば、ベルグソンは、こうした「回顧的錯覚」が「予見不能な新しさの連続的創造」を覆い隠すと厳しく批判したのに対し、[5] メルロ＝ポンティは、「われわれが決してあらかじめ決められてはいないということ」と、「振り返ってみればつねに、われわれが現在のわれわれになったことの予兆を過去のうちに見出すことができるであろうということ」という、表現における時間のもつれ（彼は「キアスム」と呼んだ）を積極的に肯定し、そこから大文字の「存在」を考えようとした。[6] さらに森田は、このメルロ＝ポンティの「キアスム」的制作観が正しいとしても、主‐客未分化な絶えざる生成変化＝差異化の過程からいかにして主体‐客体関係が析出されてくるのかと問題提起し、それを「オートポイエーシス」理論の援用により解決しようとする。が、結局、生命システムの「創発」と芸術制作の過程がアナロジカルに捉えられているだけで、その論旨は十分な理論的説得力をもちえず、最終的に「作者、受容者、社会というオートポイエーシス・システムに、作品という事物が、何らかのかたちで共通に組み込まれ、それらの相互浸透においてはたらいているのではないか[7]」という、オートポイエーシス理論の（他分野への応用にありがちな）理論的に平板な一般化に終わってしまっている。

2　もう一つの「生成変化」

ところで、ジル・ドゥルーズとフェリックス・ガタリによれば、芸術制作においては、森田のいう「生成変化」とは質・方向が異なったもう一つの「生成変化＝なること（devenir）」が作動するとされる。それは、もし森田の「生成変化」が素材との渡り合いの中でいわば時空的に「水平的」に自らを差異化していくものだとすれば、ドゥルーズとガタリのそれは、森田の「生成変化」をいわば作者の実存の内奥へと「垂直的」に転換して、作者の「人間的」来歴へと遡行するのみならず、その「動物的」、「生物的」系譜にまで逆行し、次々とそれらの「動物」、「生物」に「なる」類の生成変化だ。「作家がれっきとした魔術師たりうるのは、書くことが一個の生成変化であり、ねずみへの生成変化、昆虫への生成変化、狼への生成変化など、作家への生成変化とは異なる不可思議な生成変化が書く行為を貫いているからだ。」[8]

しかも、ドゥルーズとガタリによれば、この「動物・生物への生成変化」は、「女性への生成変化」や「子供への生成変化」同様、生成変化の「中間地帯」の「切片」なのだと言う。この「中間地帯」の向こうには、より原質的な、「元素」への、「細胞」への、「分子状態」への、「知覚しえぬもの」への生成変化が控えているのだ。ある種の音楽を取り上げながら、彼らは言う。

音楽独自の音楽的内容もまた、女性への生成変化、子供への生成変化、そして動物への生成変化に貫かれているが、ありとあらゆる影響が楽器にすら作用をおよぼすことによって、音楽の内容はしだいに分子状態への生成変化をとげ、やがて聞きえぬものが聞こえ、知覚しえぬものが知覚しえぬままにあらわれるような、一種宇宙的なさざめきに浸されるにいたる。もはや歌をさえずる小鳥ではなく、音を発する分子がそこにはある[9]……。

この、芸術制作における「垂直の」、「動物」への、さらには「分子状態」、「知覚しえぬもの」への生成変化とは、具体的にはどんな事態なのだろうか。ドゥルーズとガタリも諸例を挙げているが、ここでは筆者なりに、その事態がさらに「具体的」に生きられた事例と思しき、「なる」ことの達人、舞踏の土方巽を見てみよう。

舞踏の創始者の一人、土方巽は、弟子たちに（彼流の）〈型〉を通して振りを教えていた。その〈型〉とは、舞踊研究者の三上賀代によれば[10]、何よりも「〝なる〟表現技法」であり、それは動物、植物、人間、現象等に分類され、さらには各項目が「空のもの」、「陸のもの」、「水のもの」などに細かく分けられたものだと言う。

例えば、〝牛〟の〈型〉を挙げよう。その〈成立条件〉は以下のとおりだ。

・背中のSの字

・腰の羽
・左脇のボボボー
・頭にダリアー頭が下がる
・背中に小人が走る
・左足のバッタ

弟子たちは、これらの〈成立条件〉を自分の身体の内で咀嚼しながら〝牛〟を振り付けていく。その表現技法を土方自身は「徹底的な写実主義」と言うが、それは決して通常考えられるような「牛」の外形の写真まがいな模写などではなく、逆に「「本質直観がスパークする」あるいは「髪の毛1本だって本人のもの」であるという土方の認識方法に基づく写実」であり、「「観察に観察をして」、「そのものを存在せしめているもの」つまり、「必然性の現出」としてのかたち」を表現する技法なのである。[11] それはまさに、ドゥルーズとガタリの言う「動物への生成変化」、芸術家（＝踊り手）が自らの「動物的」実存とでもいうべきものを内部へと遡行し、自らの「牛性」へと変状していく技法なき技法であり、その「牛性」を「成立」させている「分子的」な諸条件、「髪の毛1本」としての「背中のSの字」や「左脇のボボボー」への生成変化なのだ。

ドゥルーズとガタリによれば、ある種の芸術家たちは、こうした動物への、さらには分子状態への生成変化を通して、ついには「宇宙的なさざめき」、「宇宙的なファイバー（連続線）」に従ってめくるめくように変化する夥しい「多様体」の交響へと変化(へんげ)していく[12]……。

3 芸術と瞑想

ここで筆者は、本論の核心へと赴くために、そしてさらなる独自の展開を期すために、このドゥルーズとガタリの宇宙的な分子状態への生成変化を、あえて仏教的世界観・宇宙観に架橋したい。中沢新一は、その『レンマ学』で、レンマ的無意識に起こる相即相入の過程が、ガタリの「機械状無意識」における「相互作用現象」の過程とまさに相即すると指摘する。まず、中沢の言う「レンマ的無意識」とは何か。中沢は、山内得立の『ロゴスとレンマ』[13]での独創的な探究を引き継ぎつつ、「事物をとりまとめて言説化する」「ロゴス的知性」に対して、「直観によって全体をまるごと把握し表現する」「レンマ的知性」の復権を目指し、両知性の弁証法的総合として(単なる「西洋」対「東洋」といった二元性を超えた)「普遍学」としての「レンマ学」を提唱する[14]。では、その「レンマ的知性」が把握し表現する全体としての「レンマ的無意識」とはいかなるものなのか。その核となる運動原理を、中沢はこう描出する。

『華厳経』に描き出されているように、法界に充満している事物は、お互いに縁起によってつながり、空有構造の相同性をもって「相即」しあい、力用の出入をもって「相入」するやり方で、相依連関しあっていく。そうやって心＝法界の全域で全体運動がおこなわれていくのである。この相即相入がレンマ的無意識の運動原理である。[15]

そして中沢は、このレンマ的無意識の相即相入の過程が、まさにガタリが「機械状無意識」の「相互作用現象」と呼んだものと相即すると言う。

このようにレンマ的無意識に起こる相即相入の過程は、まるで「機械」のように進行していくのである。相即によって「部品」の移動と圧縮がなされ、相入によって「部品」間での力の交通がスムーズに進行していく、それがまるで巨大な機械仕掛けの全域で続けられていくように見える。そこには感情のバイアスも働かないし、主観的な思い込みによる偏倚も作用しない。レンマ的無意識はある種の機械である。ここで思い出されるのがフェリックス・ガタリの「機械状無意識」の概念である。

〔……〕ここに描かれているような「抽象的な相互作用現象」は法界の現実そのものであり、レンマ的無意識の作動原理そのものである。ガタリの「機械状無意識」というアイディアはレンマ学が取り出してきた「レンマ的無意識」と同一の実体に触れている。[16]

そして（言わずもがなかもしれないが）、この「機械状無意識」（＝「レンマ的無意識」）こそ、先にガタリがドゥルーズと共に描き出してみせた、芸術家たちの分子状態への生成変化のプロセスそのものなのである。

ここで重要なことは、もはや分極化し物象化した実体ではなくて、私がジル・ドゥルーズとともに〈生成変化〉と呼ぶ機械状プロセスなのである。すなわち、性的生成変化、植物的生成変化、動物的生成変化、不可視のものへの生成変化、抽象的なものへの生成変化、等々である。機械状無意識はこうした生成変化が構成する強度のプラトーをわれわれに通過させ、すべてが地層化され決定的に結晶化しているように見えていた場所において、われわれを変形的世界に到達させる。[17]

ということは、芸術家たちの分子状態への生成変化とは、畢竟、「機械状無意識」=「レンマ的無意識」の「相互作用現象=相即相入」の分子的・機械的作動そのものに「なる」ことではないか。そこから、(中沢自身はこういう問題の立て方をしていないが)筆者はあえてこうした問いの立て方をしたい。——この芸術家たちの、「レンマ的無意識」=「機械状無意識」への生成変化と、例えば瞑想家たちによる「レンマ的無意識」の観想の究竟たる「涅槃」とは同じものなのか違うものなのか、と。

そもそも「涅槃」とはいかなる事態なのか。この「仏教思想のゼロポイント」を闡明した仏教学者の俊英、魚川祐司は例えば「涅槃」をこう見る。それは何よりも「輪廻」——森羅万象の生成消滅する現象の継起[18]（「レンマ的無意識」に相当）——を観る「観察」自体が、「対象」（＝「輪廻」）もろとも消失してしまい、「無相・無為」となる経験だと言う。

> 涅槃（nibbana, s. nirvana）の原義は（煩悩の炎を）「消すこと」だとされるが、まさに火が消えるように、その時には対象と観察、即ち、継起する現象の認知が消失してしまう。現象の認知がないのに「経験（experience）」があるというのは理解の難しいことだし、「推論の領域を超えた」ことだ。だから、その「経験」の内実について、言葉で語ることは不可能である。ただ言えることは、それが起こった時には、煩悩の炎が実際に消えてしまうということだけだ。〔……〕「仏教思想のゼロポイント」とは、ここのことである。それは無相であり無為であるという意味で「ゼロ」であり、ゴータマ・ブッダがこの経験をしたことが仏教の「始点」になったという意味での「ゼロポイント」である。[19]

芸術家たちは、「レンマ的無意識」、「輪廻」の多様体の「分子」、「宇宙的なさざめき」へと生成変化しつづける、「なり」つづけ、動きつづける。一方、瞑想家たちは、動かない、止まりつづけ、観つづける。そして、「なる」ことをしない。「レンマ的無意識」、「輪廻」を、「観察」が消失するまでに「止観」しつづけ、その果てに、そこから「解脱」し、「涅槃」に、「無相・無為」の境に入っていく……。

4 「逆 - 生成変化」としての芸道

ところで、京都学派の哲学者久松真一は、「芸術」をめぐり、ハイデッガーと非常に興味深いやり取りをしている。彼は、訪欧の際、一九五八年五月、フライブルグ大学に招かれ、ハイデッガーの司会する懇談会「芸術の本質」に臨んでいる。[20]

ハイデッガーはまず、アジアでは、「われわれ（西洋人）」が「芸術」と呼んでいるものをいかなるものとして理解しているのかと問う。そして、日本にはそもそも「芸術」を表す言葉があるのかと問う。

久松はまず、後者の問いに答え、日本にも（西洋的意味での）「芸術」という言葉があるが、それは、他の西洋由来の概念同様、芸術の概念を自国語の語根を用いて翻訳したものだと応じる。その上で久松は、日本にはもう一つ、ある意味で芸術を表す古い言葉があり、それはヨーロッパ的な影響を受けていない、別様の深い意味を持っていると言う。それが「芸道」という言葉である。「道」は、中国語の「道（タオ）」に由来し、従って芸道としての芸術は、「われわれの生命とか本来の有り方への深い内的な繋がり」をもっていると述べる。

さらに久松は、芸道と禅の繋がりを訊かれ、芸道を「禅芸術」と言い換えつつ、「芸」には二通りの意味があるとする。第一は、人が「根源に参入する道」であり、第二は人が「一度根源に参入した後、現実に還り来ること」だと言う。そして、芸道＝禅芸術の真の面目は、後者にあると言う。この場合の「現実の根源」とは、「根源的な真なる生命とか真実の自己といわれている事柄であり、一切の緊縛を脱した離脱であり、一切の形とそれに由る束縛とを空じて有ることであり、それはまた、無とも言われて」いる。芸道＝禅芸術は、畢竟、（西洋では根源がなんらかの仕方で「有」であり「形相」的であるのに対し）「無相」な、「無」としての根源が、一切の「有」「形相」を空じているがゆえに、相無きものとして自由自在に動き得る、その自由が形あるものに現れ来たったものに他ならない。

したがって、未だ芸道＝禅芸術の真相が測りがたいとみえる一参加者の芸術学者が、（少なくとも西洋人から見て外見的に似ているように見える）現代芸術、特に抽象絵画と禅画との類似性について問うた時、久松が断固として両者の差異を強調するのも至極当然である。前者が「形」を破壊し「形」の向こうに行こうとする限り、依然「形」に縛られているのに対し（先ほどの第一の「芸」）、（第二の「芸」たる）禅画は正反対の方向、すなわち無相の自己が形あるものの方に現れ来たることにその真髄があるからだ。

このように久松は、ハイデッガーを前にして、「芸術」と「芸道」の違いについて闡明するのである。

私たちはここまで、まず森田による芸術制作における中動態的生成変化から出発し、次いで、芸術制作には、そのいわば「水平的」な生成変化とは質・方向の異なるもう一つの生成変化、いわば「垂直的」ともいいうる生成変化が、作者の実存の深みへと作動することを見た。そして、芸術家は、「動物」へと、さらには宇宙的な「分子状態」へと「なり」、生成変化しつづけるのに対し、瞑想家は、「なる」代わりに「観る」、そして観つづけた結果、対象もろとも消滅する「涅槃」、「無相・無為」の境に入る様を見た。

この「垂直的」な生成変化のベクトルは、先ほどの座談会での久松の言葉を借りれば、「根源に参入する道」であり、少なくとも久松にとっては西洋の（抽象芸術を含めた）芸術はこの「道」を辿っていたものだった。それに比して、芸道は、「一度根源に参入した後、現実に還り来る」道において成り立つものだと言う。ということは、「芸道」を行う主体は、行う前にすでに「根源＝無」に参入し、「無相の自己」となっている。そのいったん「無」となった（「自己」とはもはや言えない）〈自己〉が、翻って、一度は立ち去ったはずの「現実」へと還帰する。その時、〈現実〉――もはや当初の「現実」への執着から解脱し、別様の風景と見えるがゆえに〈現実〉と記そう――との自由自在の戯れ＝遊びこそ、「芸道」の真骨頂だと言えよう。だから「芸道」は、「芸術」が（根源への参入としての）生成変化だとしたら、逆-生成変化、すなわち無相の〈自己〉の、〈現実〉への再「インカーネーション」としての遊び＝戯れなのに他ならない。

いわば綜合的な芸道ともいえる、茶道について、久松はこう語っている。

茶道の第一の目的は人間形成であった。そして、このような人間形成が茶道文化を生んだのであります。無相の自覚が形に現われてくる、その現われたものが茶道文化である。〔……〕無相の自己が浸透していないような茶道文化はない、茶道文化には必ず無相の自己が浸透しておるのであります。すなわち、茶道文化は無相の自己のインカーネーションであります。[21]

私たちは、森田の芸術制作における中動態としての生成変化から、そしてドゥルーズとガタリの分子状態への生成変化からも、実に遠い所まで来てしまった。

5 哲学と瞑想──「私は考えない、ゆえに私は存在しない」

ジョルジョ・アガンベンは、その『開かれ──人間と動物』において、彼が「人類学機械」と名づけるもの──人間のうちから非人間的なもの＝動物性を分離することによって作動する機械──によって、いかに「人間＝人類」が創出されてきたかを、アリストテレスからハイデッガーに至るまで追跡している。ハイデッガーにおいては、「人類学機械」は、とりわけヤーコプ・フォン・ユクスキュルの「環世界」論との関係の中で、それに強力に惹きつけられながらも、そこから辛うじて身を引き剥がすような形で作動する。アガンベンに従って、その作動の軋みを見てみよう。[22]

まず、ユクスキュルの「環世界」とは何か。ユクスキュルによれば、いかなる動物も物自体と関わりあうことはできず、その動物固有の「意味の担い手」（「知覚標識の担い手」とも言う）としか関わりあえない。例えば、有名なダニの例をとれば、（一）哺乳類の汗に含まれる酪酸の匂い、（二）哺乳類の血液と同じ三十七度の温度、（三）哺乳類に特有な体皮の類型、この三つの要素＝「意味の担い手」以外のものは、ダニの環世界には存在していない。この環世界の中で、ダニはひたすら、たまたま哺乳動物が通りかかるのを「待つ」。そして、知覚標識を感受するや否や抑止は解除され、あわよくば獲物の上に落下するのである。この、動物に固有な「意味の担い手」とその動物の受容器官（知覚器官と作用器官）とのいわば「交響曲」が、その動物の環世界を構成する。

ハイデッガーにとって、この動物の環世界、動物と世界との固有な関係性は、人間に比して「世界の窮乏」と映る。ハイデッガーは三つ組のテーゼを提示する――「石には世界がない」、「動物は世界に窮乏している」、「人間は世界を形成する」。アガンベンによれば、ハイデッガーがこのように「人間」を「石」、とりわけ「動物」と比較することによって、自らに課した焦眉の課題とは次のようなことだったと言う。すなわち現存在という根本構造そのものを動物に対して位置づけることなのであり、そうすることで、人間の登場とともに生物のうちに現れる「開示」の根源と意味を探究することなのである。

ハイデッガーは、動物の「世界の窮乏」を、動物の「放心」とも言い換え、動物は何かを何かとして知覚することを一切剥奪されていて、「意味の担い手＝知覚標識の担い手」にすっかり心を奪われている。その存在論的ステータスは、世界の「露見なき開示」、つまり世界はある種の仕方で

「開かれて」はいるが、存在者としては「露見して」いない、とハイデッガー（とアガンベン）は見てとる。

ところで、ハイデッガー（とアガンベン）によれば、この動物の「放心＝世界の窮乏」は、人間の「深き倦怠」と「酷似」していると言う。ハイデッガーは、「倦怠」が現存在を構成する根本的気分だとする。その「根本的気分」がなぜ動物の「放心」と「酷似」しているのか。ハイデッガーは、倦怠の白眉として、田舎の駅で何時間も列車を待つともなく待つ状況を挙げている。そして、こうした「深き倦怠」には、それを規定する二つの構造的契機があると言う。一つは、「空無への放置」――ここでは、心の空虚が、存在者をその全体のうちに包み込む無関心のうちにあり、この時、現存在は、「放心」における動物のように、「露見」されざるもののうちに曝されているがゆえに、「深き倦怠」に陥った人間と「放心」する動物は「酷似」している、とハイデッガーはみなす。（ちなみにアガンベンは、このハイデッガーの指摘に留保を加える――その二つは酷似しているが、実は「見掛け倒し」にすぎず、両者のあいだには深淵が横たわっている。が、両者が「ほんの束の間だけ踵を接し合う」〔という実に微妙な言い回しをアガンベンは使う〕操作の場こそ、「倦怠」なのだと言う。）

「深き倦怠」を規定するもう一つの構造的契機は、「宙吊りのまま保持されている」ことだ。倦怠においては、現存在がもつかもしれないすべての可能性が不活性のまま滞留している。この根源的な可能態は、まさにそれゆえに否定の可能態、すなわち「無能性」を構成する、とハイデッガー

（とアガンベン）は見る。結局、ハイデッガー（とアガンベン）によれば、この、動物の「放心」に「酷似」してはいるが、それとの間には「深淵」があり、かつ「ほんの束の間だけ踵を接し合う」、人間の「深き倦怠」のうちで問題となっているのは、「人類創生」、すなわち生きた人間がまさに「そこにある」現存在となること、この「深淵」において接し合う踵で「人類学機械」が軋みながらも作動し、「人間」の世界が「開かれ」形成されること、つまりは現存在としての「人類創生」がなされることに他ならないのだ。

さらにアガンベンによれば、このハイデッガーにおける「人類創生」、人間の「世界」の開かれは、『芸術作品の根源』における有名な「世界と大地との闘争」へと変奏される（「大地」はもちろん「動物」を含む）。この「闘争」においてもまた、隠匿性と非隠匿性、開示と閉塞との弁証法が展開される。この「闘争」において、世界が「開かれ」を表すとすれば、大地は「本質的にそれ自体のうちに閉ざされているもの」を名指しているが、芸術作品においては、この〈露見されえないもの〉そのものがそれ自体のうちに閉ざされたままで白日のもとに曝されるという、まことに逆説的な弁証法をとる。

ところで、筆者は先に、瞑想について言及した。瞑想とは、そもそも何なのだろうか。それは本質的にはごくシンプルなものだ。基本的には「今ここにある」ことを感じ・観じつづけることだ。まさに（ハイデッガー流に言えば）「現存在」を感じ・観じつづけることに他ならない。だが、出発点は同じでも、瞑想と哲学ではそれからの展開がまるで異なる。哲学が現存在＝今ここにあることについて「考える」、「思考する」のに対し、瞑想は「考えない」、「思考しない」。ただ、今ここにあることそれ自体を感じ・観じつづけるだけである。瞑想は、「思考」もまた（それがたとえ「哲学的」であろうと）、他の雑念同様、「今ここ」から逸れる夾雑物とみなす。だから、他の雑念同様、「思考」し始めたことに気付くやいなや、「思考」から離れ、再び「今ここ」を感じ・観じることに立ち戻るよう促す。

ところで先に、アガンベンとともに、我々は、ハイデッガーの「深き倦怠」、この現存在を構成する根本的気分の第二の構造的契機「宙吊りのまま保持されている」ことが、現存在の「根源的可能態」であるからこそ、「否定の可能態」、すなわち「無能性」でもあることを見た。瞑想もまた、ある意味、この「無能性」から出発する。が、哲学のように、この「無能性」が同時に「根源的可能態」であり、そこからあらゆる現存在の可能性、人間の「開かれ」の可能性が展開する原初的な契機とみなす代わりに、瞑想は、この「無能性」そのものの内に留まりつづける、「無能性」の内で「くつろぎ」つづけさえするのだ。

禅僧の藤田一照は、その『現代坐禅講義』において、道元の「安楽の法門」「帰家穏坐」に則り、坐禅を「純粋なくつろぎの形」とした上で、意外にもイギリスの詩人ジョン・キーツの「ネガティブ・ケイパビリティ（Negative Capability）」という造語を持ち出し、坐禅とは、「私が〜をする」という積極的・能動的力ではなく、逆に「〜をやめる、しない」という消極的・受動的力ではないかと言う。そして、坐禅こそ、純粋な「ネガティブ・ケイパビリティ」〔すなわちハイデッガー&

アガンベンの「無能性」なのではないかと言う(23)。

だが、瞑想（ここでは坐禅も含めよう）は、哲学のようには、そこから「積極的・能動的」な可能性の開かれを「思考」しない。「思考」する代わりに、無能性の「消極性・受動性」それ自体の内に留まりつづけ、「くつろぎ」、ただそれを感じ・観じつづけるだけだ。そうして「くつろぎ」つづけ、感じ・観じつづけていると、やがて、原初的な「開かれ」が内へ内へと窮まっていくとともに、それまで「それ自体のうちに閉ざされていた」大地がその自己閉塞を解き始め、自らの奥深い懐を開き、その無数の環世界たちの「交響曲」を奏で、「宇宙的なさざめき」で満たし始める。だが、芸術が、この大地の、生命の宇宙的なさざめき、分子の交響曲へと生成変化し、「なる」ことを志向するのに対し、瞑想は「なる」ことをせず、ひたすらその交響曲を感じ・観じつづける。「なる」のでなく、「観る」の中に「止まり」つづける。「止観」しつづける。そして自らだけが完璧に「止まり」つづけながら、その他のあらゆるもの、生きとし生けるものがさざめき、生まれては消え、応えあい、分子状の交響曲を奏でるのをただ称えつづける。そしてついには、その「観」自体、「観る」ことを辛うじて可能にしていた極小の「距離」さえ消えて、ついに「涅槃」へと入っていく……。

だから、瞑想は、無能性を「人類創生」、すなわち「人間＝人類」の開かれへの可能性として「思考」するどころか、無能性そのものの内にひたすら留まりつづけ、少なくとも哲学的思考には閉ざされつづけていた「大地」が開くにまかせ、その生命の謳歌を称えるがゆえに、それはすぐれて「反−人類学機械」であり、それどころか「生命−機械」の嬉々とした作動をただ「観」つづけることしかできない、「人間的」にはまことに「無能」きわまる「行い」とも言えないような行(ぎょう)なのだ。

6 〝もう一つの〟哲学

ところで、日清戦争に前後して、金沢に帰郷し、第四高等学校で教鞭をとりながら、この「反−人類学機械」と「人類学機械」との、困難極まりない「不可能な結合」に粛々と挑んでいる者がいた。西田幾多郎である。西田は、鎌倉円覚寺で盟友の鈴木大拙とともに参禅して以来、金沢にあっても打坐に明け暮れ、同時に欧米の「哲学」を旺盛に摂取し、参禅がもたらす言語を絶した経験を「哲学」の言語に翻訳しようと悪戦苦闘していた。その本来「不可能」なはずの「結合」の苦闘の軌跡が、処女作『善の研究』であり、それは文字通り、極東の国における独自の、〝もう一つの〟〈哲学〉の「独立宣言書[24]」であった。

そして、この西田の〈哲学〉の原点——禅と哲学の「不可能な結合」は、この「独立宣言書」のみならず、以降生涯にわたって西田の「念願」に他ならなかった。西田は晩年、弟子の西谷啓治の問い「西田哲学の背後には、やはり何か禅的なるものがあるのではないか」に対して、こう（謙遜しながら）書き送っている。「背後に禅的なるものと云はれるのは全くさうであります　私は固より禅を知るものではないが元来人は禅といふものを全く誤解して居るので　禅といふものは真に現実把握を生命とするものではないかとおもひます　私はこんなことは不可能ではあるが何とかして哲学と結合したい　これが私の三十代からの念願で御座います[25]」。

さらに、この、西田とともに始まった禅と哲学の「不可能な結合」としての〈哲学〉は、西田個人の実存的探究の問題にとどまらず、それは同時に世界史的に原理的な問題でもあった。『禅と京都哲学』の監修者上田閑照は、その「まえがき」でこう語る。「西洋の地球規模での拡張が非西洋を覆ってゆく「世界」歴史的過程のなかで、東洋の精神的伝統と西洋の精神的伝統とが触れ合いぶつかり合いかかわり合う新しい境位において初めて現れてきた原理的問題の一つが「禅と哲学」である。[26]」

その世界史的に原理的な問題はまた、同時に西田に限らず、東西の文化的差異に引き裂かれながら、その引き裂きそのものを己れの実存的・思想的探究として引き受けなおそうとする俊英たちが共有していた課題でもあった。上田はさらに述べる。

> そのような東西にわたる世界を自分の生きる世界とすることは、自分自身が内から引き裂かれるほどのギャップに身を置き、世界に於てある自己存在の確立をかけて、東西の異文化間の相互異性を活かした統合的連関を世界の内に創設しようとする模索であり、同時に、単に東西ということではなく「考えるな」と「考えよ」とが極限的な振幅ないし深度であり得るような人

間存在の新しい根源的可能性の究明であった。[27]

こうして、西田を中心として、綺羅星のごとき才能たちが、京都の学府に集い、「禅の一滴水によって深く結ばれ」た「組織なき一つの運動体[28]」が形成されるに至った。上田は、その「運動体」の代表的メンバーとして、西田の他に、鈴木大拙、久松真一、西谷啓治を挙げているが、上田自身言うように、もちろんこの四人に尽きるものではない。「禅と哲学」という問題は、当時のいわゆる「京都学派」に深く浸透していたとともに、以降「当時」や「京都」を大きくはみ出し、(「グローバリゼーション」が加速度的に進んだ)現在においてなお、いやますます緊要な思想的課題とすら言えよう。(だからこそ、筆者もまた本稿を書いている。)

周知のように、西田による禅と哲学の「不可能な結合」は、『善の研究』における「純粋経験」から始まった。『善の研究』の冒頭で、西田は「純粋経験」をこう定義する。

経験するというのは事実そのままに知るの意である。まったく自己の細工を棄(す)てて、事実に従うて知るのである。純粋というのは、普通に経験といっているものもその実はなんらかの思想を交えているから、毫(ごう)も思慮分別を加えない、真に経験そのままの状態をいうのである。例えば、色を見、音を聞く刹那(せつな)、未だこれが外物の作用であるとか、我がこれを感じているとかいうような考えのないのみならず、この色、この音は何であるという判断すら加わらない前をいうのである。それで純粋経験は直接経験と同一である。自己の意識状態を直下に経験した時、未だ主もなく客もない、知識とその対象とが全く合一している。これが経験の最醇(さいじゅん)なるものである。(29)

まさに現存在の「無能性」の経験、坐禅が「くつろぐ」「ネガティブ・ケイパビリティ」の始源的経験である。坐禅は、この「純粋経験」をひたすら感じ・観じつづけ、哲学はそれを「人間」の開かれへと思考していく。西田は、この「考えるな」と「考えよ」の引き裂きそのものの内に身を置きつづけながら、独り「不可能な結合」を暗中模索していく。その最初の道程が『善の研究』であり、が、やがて、この「純粋経験のアポリア」を、第二の主著『自覚に於ける直観と反省』において乗り越えていく。

では、純粋経験を純粋経験として説明するには、われわれはどのような立場に立たなければならないであろうか。答えは明白である。純粋経験を純粋経験として説明するには、われわれは単なる反省の立場ではなく、純粋経験と反省をともに内なる二つの契機として、自己の内から説明できるようなより根源的な立場、いいかえれば経験するということが同時に反省するということであり、反省するということが同時に経験するということであるようなより根源的な立場に立たなければならない。それが「純粋経験」(直観)と「反省的思惟」(反省)をともに自己の二つの内的契機として不断に自己展開していく「自覚」という立場であって、西田が彼の第二の主著『自覚に於ける直観と反省』（大正六年）において取った立場であった。[30]

私たちは先に、「組織なき運動体」の一人、久松真一による「芸術」と「芸道」の区別――「根源への参入」としての「芸術」と「根源からの現実への還帰」としての「芸道」の区別を見た。そして根源＝無から還帰する芸道家たちが〈現実〉と戯れなおす様を見た。

西田、そして「組織なき運動体」を構成する〈哲学者〉たちもまた、根源＝無から還帰しつつ、再度〈現実〉と出会い、芸道のごとき「戯れ」として己れの〈哲学〉、「不可能な結合」を遊ぶのだろうか。「斯の如き世に何を楽んで生るか　呼吸するも一の快楽なり」という西田の「断想」にある言葉を引きつつ、上田閑照は、西田にとって「呼吸」は「一つの単純至極な、しかし完全な世界遊戯」であったと解釈する。

「かかる世に」と自問せざるを得ない世界内存在自身が、呼吸するというほとんど無為に等しい単純そのものの仕方で世界を遙に遙に超え出てふたたび世界へと甦り帰る時、静かに深い楽しみが世界内存在に浸透する。存在が呼吸する、呼吸する存在。呼吸とは有が無に、無が有にということ。その時呼吸は「死して甦る」最も単純にして具体的な遂行に他ならない。「我」の行為としての遂行ではない。我が限りなく無となり、無から我が新しく生まれることである。

むしろ、そのつど我を生み直す天地の呼吸である。呼吸は、世界から世界を超えた開けへの出入であり、世界を超えた開けから世界への出入であり、それが、「かかる世に」と言わしめる世界苦の只中での楽しみになるのである。一つの単純至極な、しかし完全な世界遊戯になるのである。[31]

西田にとって、禅と哲学の「不可能な結合」であった〈哲学〉もまた、無から生まれなおす「世界遊戯」であったのではなかろうか。

おわりに

私たちは、森田亜紀の『芸術の中動態』、その「水平的」生成変化から出発して、ついにここまで来てしまった。「動詞は、主辞がその過程の座であるような過程を示し、主辞の表わすその主体は、この過程の内部にある」態としての中動態。その procès（過程＝審級）に巻き込まれ、生成変化する主体は、芸術の〝もう一つの〟生成変化、すなわち動物・植物への、さらには分子状態への「垂直的」生成変化を経験するが、もし主体がひとたび芸術から瞑想へと移動したならば、それは今度は、瞑想の窮まりとともに、森羅万象の生成変化、「諸行無常」に「なる」ことなく、ひたすらそれを「観」つづける、そして「観」つづけた末に、ついに「観」すらも失い、「涅槃」へと空無化されていく……。

しかし、久松、西田を初めとした多くの「京都学派」の思想家たちは、その思考と言語を絶した「ゼロポイント」から翻り、還帰して、再び「世界」と、「哲学」と、絶対的に引き裂かれながらも、その引き裂きそのものを楽しむかのように、芸道として、あるいは〝もう一つの〟〈哲学〉として「遊戯」する。

この「世界遊戯」する主体なき主体こそ、今――これまで、ある種の思考が、ある種のロゴスが考え尽くし、「世界」を造り尽くし、その人類学機械が「動物」を、他の「生物」を、ガイアを抑圧し、凌辱し、あるいは搾取し尽くして、文明そのものが自壊せんとしている今、文明を、再び、命懸けで戯れつつ、創り直しうるかもしれぬ、無相の、しかし生気が漲った〈自己〉なのではなかろうか。この逆‐生成変化しながら、反‐人類学機械と人類学機械との「不可能な結合」に賭し＝戯れる〈自己〉に、我々は、無謀にも、〝もう一つの〟〈中動態〉――「人間」そのものが座であるような過程、その内部で「人間」が生成変化し、あわよくば転生するような過程――での冒険を見ることが許されるだろうか。これからの世界史の命運は、この冒険の帰趨に賭けられているかもしれない。

【註】

(1) エミール・バンヴェニスト『一般言語学の諸問題』、岸本通夫監訳、みすず書房、一九八三年、一六九頁。
(2) 森田亜紀『芸術の中動態』、萌書房、二〇一三年、三頁。
(3) 同書、二二九頁。
(4) 同書、二二一―二二二頁。
(5) 同書、二〇八―二一四頁。
(6) 同書、二一四―二二〇頁。
(7) 同書、二四三頁。
(8) ジル・ドゥルーズ、フェリックス・ガタリ『千のプラトー――資本主義と分裂症』中、宇野邦一・小沢秋広・田中敏彦・豊崎光一・宮林寛・守中高明訳、河出文庫、二〇一四年、Kindle版、位置No.2055-2057.
(9) 同書、位置No.2315-2319.
(10) 三上賀代「土方巽舞踊試論――消える構造・その2〈型〉と〈型の成立条件〉――」、『舞踊学』、第一四号別冊、一九九一年、二四―二五頁。(なお、『舞踊学』の目次には「土方巽舞踏試論」と掲載されている。http://www.danceresearch.ac/buyougaku/soumokuji.htm#1991_1)
(11) 同所。
(12) ドゥルーズ、ガタリ、前掲書、位置No.2331-2339.
(13) 山内得立『ロゴスとレンマ』、岩波書店、一九七四年。
(14) 中沢新一『レンマ学』、講談社、二〇一九年、三―三三頁。
(15) 同書、一三九頁。
(16) 同書、一四〇―一四一頁。
(17) フェリックス・ガタリ「機械状無意識と分子革命」、『エコゾフィーとは何か』、杉村昌昭訳、青土社、二〇一五年、一七五―一七六頁。

(18) 魚川は、ミャンマーの著名なテーラワーダ僧侶であるウ・ジョーティカによる以下の「輪廻」の解釈に賛同している（魚川祐司『仏教思想のゼロポイント』、新潮社、二〇一五年、九七―九八頁）。「輪廻とは、精神的と物質的のプロセスのことです。それが輪廻と呼ばれるのです。ある人が、一つの生から別の生へと移るという、物語のことではありません……。本当の輪廻とは、本当の廻り続けることというのは、この精神的と物質的のプロセスが、ずっと続いていくことを言うのです。それが輪廻と呼ばれるのです。」（ウ・ジョーティカ『自由への旅』、魚川祐司訳、ＰＤＦ版、二三九頁、http://myanmarbuddhism.info/wp-content/uploads/sites/2/2013/09/amapofthejourney.pdf）。

(19) 魚川、前掲書、一五九―一六〇頁。

(20) 『増補　久松真一著作集』第五巻、一九九五年、法藏館、四六一―四六九頁。なお、以下の懇談会に関する叙述は、部分的に拙著『藝術2.0』（春秋社、二〇一九年）の第八章と重複していることを許されたい。

(21) 久松真一『茶道の哲学』、講談社、一九八七年、四六―四七頁。

(22) ジョルジョ・アガンベン『開かれ――人間と動物』、平凡社、二〇〇四年、七四―一一四頁。

(23) 藤田一照『現代坐禅講義』、佼成出版社、二〇一二年、一二―二四頁。

(24) 小坂国継「補論　一『善の研究』について」（西田幾多郎『善の研究』、小坂国継全注釈、講談社、二〇一五年、Kindle版、位置No.6288）。

(25) 森哲郎「禅と西田哲学――脱自と表現」（『京都哲学撰書別巻　禅と京都哲学』、上田閑照監修、燈影舎、二〇〇六年、五二頁に引用）。

(26) 同書、一―二頁。

(27) 上田閑照「総説――禅と京都哲学」、同書、一三―一四頁。

(28) 同書、一四―一五頁。

(29) 西田幾多郎『善の研究』、位置 No.270-278.
(30) 小坂国継「補論 一『善の研究』について」、同書、位置 No.6458-6464.
(31) 上田閑照『場所――二重世界内存在』、弘文堂、一九九二年、二四二―二四三頁。

中動態と非人称
——「書く」は中動態か？

郷原佳以

「私が孤独であるとき、私はそこにいない」
——ブランショ『文学空間』

「私は考える、ゆえに私は存在しない」
——ブランショ『謎のひとトマ』

はじめに——「典拠」としてのバンヴェニスト

中動態は、古代ギリシア語やサンスクリット語に見られ、再帰動詞の一部にその名残が見られるとしても、現代語にはそれ自体としては存在しない動詞の態である。中動態がいかなるものであるかを知るには、したがって、古代ギリシア語やサンスクリット語についての研究を参照する以外にはない。今日において、中動態を一種の概念として援用しようとする理論は、その大部分が、フランスの言語学者エミール・バンヴェニストの論文「動詞の能動態と中動態」（一九五〇、以下「中動態論文」と呼ぶ）、および、そこでの中動態の定義に依拠している。すなわち、能動態との対立において捉えられ、能動態が「主語に発して主語の外で行われる過程を示す」のに対し、「主語がその過程の座であるような過程を示し、主語の表すその主体はこの過程の内部にある」[1]（172／一六九）という定義である。この論文が広く参照される所以は、まず間違いなく、その信頼に足る検証と明瞭さにあるだろう。バンヴェニストは中動態についての従来の文法家たちの見解を踏まえたうえで、その不明瞭さや汎用性の低さを指摘し、中動態のみをもつ動詞を列挙して検討することにより、上記の定義を引き出した。この定義によって、行為動詞／状態動詞といった動詞の意味や他動詞／自動詞といった動詞の目的語の有無とは無関係に、実態に即した形で能動態と中動態を区別することが可能になったと言える。

しかし、それだけではないだろう。バンヴェニストの中動態論文が、とりわけ哲学や文学理論といった言語学以外の領域で援用されるようになったのは、この言語学者がくりかえし、能動態／受動態の対立によって思考することに慣れた現代人が抱くに違いない違和感を喚起しながら（174／一七二）、印欧語の歴史においては実のところ能動態／中動態の対立の方が先行しており、受動態は中動態の一変形として出てきたのだ（168-169, 174／一六五―一六六、一七一）と主張するからでもあるだろう。その際、バンヴェニストは、この違和感を和らげるための一助として、能動態／中動態に代えて「外態〔diathèse externe〕」／「内態〔diathèse interne〕」という呼称を提案している（174／一七二）。すなわち、動詞の表す過程に対して主語がその外部にあるか内部にあるかという、上記の定義を正しく反映した呼称である。確かに、この呼称に拠るならば、現代語の構造との差異をことさら意識せずに態の問題を考察することができる。しかし、ロラン・バルトからブリュノ・ラトゥール、長井真理＝木村敏、森田亜紀、國分功一郎に至る、言語学者ではない読者がバンヴェニストの中動態論文に注目し、中動態というかつて存在した態を現代にも適用可能な概念として援用しようとするとき、[2] 彼らはむしろ、能動態／中動態に、能動態／受動態という現代語の対立構造に基づいた自分たちの思考の枠組みを揺り動かし、そこから解放してくれる可能性を見出したのだろう。私たちの行為のある種のものは、「する／される」の図式には当てはまらない仕方で行われており、ゆえに、能動態でも受動態でも言い表すことができない。けれども、「主体が過程の内部にある」というバンヴェニストによる中動態の定義は、自ら意志的に開始したわけではないが、気がつけば何らかの動作のうちに巻き込まれている、といったある種の行為を適切に言い表してくれるように思われたのである。ある種の行為とは、バルトにとっては現代文学における「書く」ことであり、[3] ラトゥールにとっては、支配‐被支配によっては捉えられない関係性における行為であり、[4] 長井真理＝木村敏にとっては、「日常世界の明証性が保たれているかぎり隠蔽されて」いるが、統合失調症において「特異的に亢進する」コギトの「私には……と思われる」であり、[5] バンヴェニストの定義をメルロ＝ポンティやドゥルーズらの芸術論に接続する森田にとっては芸術創造であり、[6] アレントやスピノザの検討を通して中動態の抑圧への抵抗の哲学史を描こうとする國分にとっては、人間同士の関係において非意志的に行われる、依存症におけるケアなどのさまざまな行為である。[7] こうした援用は、それが過去に存在した態の言語学的定義の類推的応用であることが明示されている限りで、ある種の行為を言語化して指し示すのに有用である。しかしそこから、中動態が用いられていた古代ギリシアには意志概念が存在せず、現代とは異なる思考の枠組みが存在し、中動態概念を取り入れればその思考の枠組みに近づくことができると考えるならば、言語と思考の関係を短絡的に捉えたノスタルジックな形而上学となるだろう。[8] ここで、バンヴェニストが次のように述べていることは想起しておくに値する。「問題は、〈能動－中動〉の区別が〈能動－受動〉の区別より正統的であるか否かを見ることではない。どちらも一つの言語体系のもつ諸々の必然に支配されているのであって、まず必要なことはこれらの必然を――中動も受動も共に相並んで存在している中間期における必然も含めて――認識することである」（169／一六六）。

しかし、本稿で問題にしたいのは、バンヴェニストの中動態論文の援用一般に見られる形而上学的な性格ではない。バンヴェニストを援用しようとする理論家たちに対してバンヴェニスト自身は中立的で純粋な言語学者などだと言いたいのではけっしてない。むしろ逆である。いかなる定義も無垢ではありえない。問題は、理論家たちがバンヴェニストの論文を――中動態論文に限らず――あまりにも文脈から切り離して独立したものとして、こう言ってよければ辞書項目のように便利なものとして「典拠」に据えることにある。これはおそらく、言語学という専門性の高い学問の命題を他領域の者が利用しようとするときに陥りがちなことである。たとえばバンヴェニストの『インド＝ヨーロッパ諸制度語彙集』（一九六九）は、アガンベンやデリダなどの哲学者が語源的観点を足がかりに「歓待」や「刑罰」といった概念を検討しようとするときに、まるで『リトレ』辞典を引くように好んで参照する書物である。欧米の思想家におけるバンヴェニストへの信頼度の高さは特筆に値する。なるほど、『語彙集』ならば辞書のように用いられても仕方がないと思われるかもしれない。しかし、中動態論文の場合も同様である。バルトを貴重な例外として、中動態を主題に据えた考察はいずれも、中動態論文を——場合によってはその定義だけを——単独で、バンヴェニストのその他の論文に関係づけることなく参照している。中動態論文は『語彙集』のように利用されているのである。

1　主体論としての中動態論文

しかし、動詞の態を能動態／中動態、つまり外態／内態の対立において捉え直そうとするこの論文が、古代語の動詞の文法的解明のためというよりもむしろ、動詞による過程と主体との位置関係、つまるところ、「言葉における主体性」へのバンヴェニスト自身の関心から書かれたものだったとすればどうだろうか。「言葉における主体性」とは、中動態論文が収められた『一般言語学の諸問題』の第五部「言語（ラング）のなかの人間」に収められた著名な論文「言葉（ランガージュ）における主体性について」（一九五八）の主題である。この第五部に収められた諸論文はいずれも、発話行為（エノンシアシオン）[9]における主体の問題を扱っており、発話（エノンシアシオン）理論ないしディスクール理論——このように呼ぶ理由は後述する——を展開している。これらの論文は、「言葉における主体性について」のなかの「「我」と言う者が我なのである」（260／二二四）という一節に見られる言語を起点とした主体観によって、構造主義からポスト構造主義にかけての思想と親和的なものとみなされ、一九六〇―七〇年代にバルト、ラカン、クリステヴァらによって盛んに参照された。なるほど、中動態論文は、これらの論文が収められた第五部ではなく第四部「統語機能」に収められており、発話行為やディスクールという語も出てきてはおらず、一見すると、第五部の諸論文とは無関係であるように見える。しかし、能動態／中動態の定義が動詞による過程に対する主体の位置関係（外か内か）によって行われていたことを想起するならば、この論文が第五部の考察に繋がるものであったことが見えてくる。論文の終盤で、人称と数と態が「三者三様に過程に対して主語を位置づけており、これらの結合によって主語の姿勢の場〔champ positionnel〕とでも名づけるべきものが規定されている」（174／一七二）と述べられている箇所は、著者の関心の在処を明かしていると考えられる。第五部の諸論文では言語における主体性のあり方が人称と時称において論じられているのに対し、中動態論文では態において論じられているのだと言えるだろう。小野文の緻密な諸論文[10]は、バンヴェニストにおける「言語における主体性」への関心の持続を跡づけつつ、その変遷および発話行為概念との関係を追求している。中動態論文は主体論の一つとして読めるのである。

さて、先に「バルトを貴重な例外として」と述べた。中動態を他領域で援用する者のなかで、バルトは例外的に、中動態論文を他のバンヴェニストの諸論文、とりわけ『一般言語学の諸問題』第五部で展開される発話理論、すなわち「言葉における主体性」論と積極的に結びつけている。それもそのはず、バルトは『一般言語学の諸問題』第一巻刊行時にも第二巻刊行時にも書評を寄せ、後者の書評には「なぜバンヴェニストを愛するか」という表題を付しているほど、[11]この言語学者に信頼を寄せ、著作を読み込んでいるから、テクスト間の繋がりも深く理解しているのだ。ところが、バルト自身の主題が発話行為一般ではなく文学言語であるため、その援用の仕方には奇妙な捻れが生じている。この捻れは、実のところ、「物語の構造分析序説」（一九六六）や「作者の死」（一九六八）などにも見られるものだが、いわゆる発話理論のみを参照するこれらの論文に比べ、中動態論文を発話理論に結びつける考察において、ひときわ顕著なものとなる。そしてその捻れは、文学理論――より厳密には物語理論――と発話理論の現代に至るまで続く錯綜した関係を表すものである。本稿では、それを解きほぐしていきたい。

バルトの中動態論文読解とは、構造主義の隆盛を承けて一九六六年――『一般言語学の諸問題』第一巻の刊行年――にジョンズ・ホプキンズ大学で行われたシンポジウム「批評の言語と人間科学」での講演「「書く」は自動詞か?」で展開されたものである。[12]この耳目を引く表題において問い返されている「「書く」は自動詞である」という命題は、ドイツ・ロマン主義からロシア・フォルマリズム、とりわけ言語の詩的機能についてのヤコブソンの定義へと引き継がれてきたものだが、バルト自身が一九六〇年頃からくりかえし提示してきたものでもある。花輪光が明確にしているように、[13]「カフカの返答」（一九六〇）でバルトは「文学行為」を「絶対的に自動詞的な行為」[14]と定義し、続く「作家と著述家〔Écrivains et écrivants〕」（一九六〇）では、自動詞的に書く「作家」と何らかの目的のために言語活動を行う「著述家」とを区分している。[15] ならば、一九六六年の講演でバルトは、表題の問いに肯定的に答えることによって再び上記の定義を提示したのかと言えば、そうではない。バルトはバンヴェニストの中動態論文を通して、文学における「書く」を形容するのに自動詞よりもさらに相応しい文法用語を見出したのだ。つまり、「「書く」は自動詞か？」で提示される命題とは、「「書く」は中動態だ」というものである。いうまでもなく、「書く」という動詞は（講演が行われた）英語においてもフランス語においても自動詞でも中動態でもない。バルトが問いかけたのは、文学における「書く」という行為はバンヴェニストに即して中動態的と言えるのではないか、ということである。

　ところが、バンヴェニストの読解としては、この講演は少なくとも二重の意味で予想を裏切るものだった。なぜなら、第一に、中動態論文は古代ギリシア語の動詞の態についての研究であって文学とは無関係であるにもかかわらず、バルトはロブ＝グリエやソレルスといった現代文学の書くこと（エクリチュール）や「プルーストの語り手〔narrateur proustien〕」のありよう――書くことと語ることの次元が意図的に混同されている――に中動態を見出したからである。[16] なお、文学における「書く」は中動態であるというこの命題は、一時の気まぐれどころか晩年まで維持され、強められてゆく。「小説の準備」講義（一九七九）においてバルトは、バンヴェニストを大幅に引用しながら、「書くことの典型的作家であるフローベール」らにおいて「書くことは非常に強い中動態である」[17] と主張することになる。「「書く」は自動詞か？」に戻れば、この講演がバンヴェニスト読者を驚かせる第二の点は、バルトがそのような中動態的エクリチュールに、一見すると奇妙なことに、「ディスクール」をめぐるバンヴェニストの理論をあてはめることである。とはいえ、先に示唆したように、中動態が「ディスクール」であることを看破したのは、バンヴェニストの比類なき読者たるバルトの慧眼のなせる技である。ただし、そのすべてが、文学における「書くこと（エクリチュール）」に繋げられているために、二重の捻れが生じているように見えるのである。しかし、そのことを理解するためには、なぜそれが奇妙に見えるのか、つまり、「ディスクール」とは何であるのかを押さえておかねばならない。そのうえで、〈中動態は「ディスクール」である〉というバルトの理解がなぜバンヴェニストに即して的確と言えるのかを確認しておかねばならない。

「ディスクール」とは、バンヴェニストが『一般言語学の諸問題』第五部所収の論文「フランス語動詞における時称の関係」（一九五九）において提示し、文学理論に大きな影響を与えた発話の区分の一方である。バンヴェニストの命題によれば、すべての発話は時称と人称によって「ディスクール（話）」と「イストワール（物語・歴史叙述）」に二分される。「イストワール」は歴史や物語を叙述する書き言葉にしか用いられない語りであり、用いられる時称は「語り手の人称の外にある出来事の時称すなわち無限定過去（アオリスト）」（241／二二三）（フランス語では単純過去）、用いられる人称は三人称である。ただし、バンヴェニストは単に三人称と言うにとどまらず、「この三人称は人称の不在である」（242／二四四）と付け加える。なぜなら、「イストワール」においては「誰一人話す者はいないのであって、出来事自身が自ら物語るかのようである」（241／二二三）からである。

ここからわかるように、「イストワール」は語り手をもたない非人称的な書き言葉（エクリチュール）として考えられている。それゆえ、この論文の「イストワール」概念は、後述するように、言語学を背景に文学言語を非人称的なものとして思考しようとする文学理論家たちに一つのモデルを提供することになった。その代表的な存在は『発話しえない文[18]〔Unspeakable Sentences〕』（一九八三）のアン・バンフィールド、および、日本語の統語論研究で知られるシゲユキ・クロダである。

ただし、バンヴェニストが「イストワール」の三人称を「人称の不在」と言い換えたことには、文学言語や歴史叙述言語への洞察に拠るとは言えない背景がある。実のところ、この言語学者の人称論において、三人称はそもそも「人称」の範疇に入らないのである。これはすでに一九四六年の「動詞における人称関係の構造」で提示され、「代名詞の性質」（一九五六）でより明瞭に打ち出された命題である。それによれば、「私」（一人称）は「あなた」（二人称）がいて初めて存在するものであり、逆もまた真である以上、「私」と「あなた」は鏡像的な関係にあり、この相互依存的な関係によって初めて可能となる発話の発話者への自己言及こそが「人称」の条件である。バンヴェニストにとって、この人称構造は言語そのものを規定し、ひいては言語による主体性を形成している。「言語における主体性について」における「我と言う者が我なのである」が意味しているのは、「私」の主体性は「あなた」との対話を基本モデルとした一人称での発話の現在時にそのつど確証されるということである。それゆえ、発話される瞬間に発話者たちへの自己言及的な送り返しをすることのない「「三人称」はまさに非人称である〔人称ではない〕」（256／二四〇）ということになる。この「非人称」が「イストワール」に見出されたのであり、それゆえ、「イストワール」とはバンヴェニストにとって、言語の本質に与らない不活性な語りでしかない。バンヴェニストにとって重要なのは、あくまでも、一人称と二人称の鏡像的関係において発せられる「ディスクール」である。「ディスクール」とは、「話し手と聞き手とを想定し、しかも前者において何らかの仕方で後者に影響を与えようとする意図のあるあらゆる発話」(242／二二三)である。用いられる人称は無限定過去(アオリスト)(単純過去)を除くすべてであり、人称は幅広く用いられるものの、基本となるのは「私」と「あなた」である。バンヴェニストが『一般言語学の諸問題』第五部で展開するのは、この「ディスクール」における主体論である。ゆえに、バンヴェニストの発話理論はディスクール理論と呼ぶことができる。たとえば「代名詞の性質」では、「私」は次のように定義される。「「私」とは、『「私」という言語上の審級を含む現在のディスクールの審級を言表している個人』である」(252／二三六)。あるいはまた、「「私」を口に出す唯一の人物として自己を同定することによって、各々の話し手は代わる代わる自らを「主語＝主体」の位置に置く」(254／二三八)とされる。かくして、言語における主体は「私」という人称代名詞を主語として口にするその現在時に立ち上がることになる。「私」のみならず、「今」「ここ」「今日」「明日」等の指呼詞も発話者の現前において発話されたその瞬間にのみ指し示される。それゆえ、たとえ「イストワール」概念が一部の文学理論家にモデルを提供したにせよ、バンヴェニストにとって重要だったのは、あくまで「ディスクール」の力動的な作用であって、発話者を巻き込まない「イストワール」ではない。以上がディスクール理論の概要である。では、バルトの「「書く」は自動詞か？」は、ディスクール理論をいかに文学言語に援用したのか。

「「書く」は自動詞か？」において、バルトは時称、人称、態の三点に分けてバンヴェニストのディスクール理論を文学言語にあてはめ、エクリチュールを一種の「ディスクール」として捉え直してゆく。これが「フランス語動詞における時称の関係」の命題に反する挙措に見えることは明らかだろう。とはいえ、バルトはバンヴェニストによる「ディスクール」と「イストワール」の区分を無視しているわけではない。時称に関する節ではこの命題を紹介してもいるのだが、即座にそれを巧妙に転位させ、「イストワール」を無標の――一・二人称や現在形・未来形といった「ディスクール」の形式的特徴をもたない――「ディスクール」と位置づける。それによって、「発話行為の現在」が言語的時間の起点であることは文学言語においても変わらず、それどころか現代文学は「発話行為の現在」を探求していると主張するのである。[19]

実のところ、「ディスクール」と「イストワール」の区分というバンヴェニストの命題に対するこのような反応はけっして珍しくない。文学理論に大きな影響を与えたとは述べたが、この命題を無条件で受け入れた者は少数である。多くの者にとって、この区分において問題なのは、「誰一人話す者はいないのであって、出来事自身が自ら物語るかのようである」という「イストワール」の定義である。バンヴェニスト自身も「イストワール」の具体例のひとつであるバルザック『ガンバラ』の一節に「ディスクール」的要素が含まれることを認めているが（241-242／二二二―二二三）、物語論（ナラトロジー）の確立者であるジュネットは、「イストワール」は現実にはほぼ存在しないという立場を取っている。「物語の境界」（一九六九）ではまだこの概念を留保つきで受け入れているが、後には先の一文について、「文字通りに解されるや、これほど多くの害を及ぼした定式も稀である」[20]と切り捨てることになる。とはいえ、バルトが「〈小説〉のエクリチュール」（一九五三）で論じたように、三人称と単純過去によって出来事を客観的に――いわゆる「全知の視点」によって――浮かび上がらせる「イストワール」的な散文は、形式的には、あるいは理想としては、十九世紀西洋小説のモデルであった[21]。ジュネットの立場は、客観的に見えるそのような語りにも厳密には必ず語り手が存在するというものである。では、そもそも客観的な語りという近代小説の前提を共有しない文化圏の場合はどうだろうか。小野はバンヴェニストの「フランス語動詞における時称の関係」に日本人研究者が提起した反論をいくつか紹介している[22]。それらの骨子は、印欧語と異なり、日本語には客観的な「イストワール」は不可能である、というものである。たとえば荒木亨は、「誰も言わない文章はあるか」という直截的な表題の論文において、バンフィールドやクロダを批判し、熊倉千之『日本人の表現力と個性』における日本語論や『源氏物語』論を参照しながら、「ナレーターの声が消えてしまう語らない文とは反対に、ナレーターは、仮令「自分」というカモフラージュの形ででも、日本語のレシの中に何時もいる」[23]と主張し、さらに和辻の『風土』を参照し、「日本語は主体を客体から切り離さず、客体を包み込む主体の表現」であり、「定義からして主観と客観の、自然と文化の集団と個人の真中にある」[24]のだと言う。また別の論文では、時枝誠記の「詞辞二分論」や森有正の「日本語では命題が不可能である」という説を参照しながら、日本語は「シフターから離れられない」言語であり、「西欧の三人称小説が「神のごとき全知の視点」を仮定して、外から内へ登場人物の外貌から心理へと描き進み〔……〕立体的な建築を築き上げたのに対し、日本の小説は日本語のこの構造の故に、作者とナレーターを区別できないのみならず、登場人物の内面も作者＝ナレーターから見られたものとして描かざるをえず、必然的に作者の告白たる私小説になってしまった」として、「私小説の言語学的必然性[25]」を説いている。この主張をバンヴェニストの用語で言い換えれば、日本語は「イストワール」ではなくつねに「ディスクール」であり、また、主語が動詞の過程の内部にある内態もしくは中動態だということになるだろう。[26] 実際、荒木の日本語論は、日本語を、「Ｉモード（Interactional mode of cognition）」と「Ｄモード（Displaced mode of cognition）」という二つの認知モードのうち前者を好む言語と捉える認知言語学の説明と類似している。「Ｉモード」とは、認知主体が対象や環境との「インタラクションを通して認知像を形成する認知モードであり、「Ｄモード」とは、認知主体が「認知の場の外に出て（displaced）、認知像を客観的事実として眺めている[27]」認知モードである。渡邊淳也は、Ｉモード的な文の典型例を川端康成『雪国』の冒頭文に見た上で、このモードを認知主体の「環境との相互作用」において「アフォーダンス」と重ね合わせている。荒木における和辻への参照が想起されるところである。渡邊はさらに、Ｉモードの特徴のひとつとして、中動態を源流とする「中間構文」に着目している。[28] 以上のように、「イストワール」概念は、日本語は印欧語と異なり認知主体が「環境との相互作用」の内にいるから「イストワール」はありえないと考える論者によっても、いかに客観的に見える物語にも語り手がいるから「イストワール」はありえないと考える西洋の論者によっても否定されている。とはいえ、双方とも、いわばバンヴェニストによってバンヴェニストに反論しているようなものである。というのも、前者は日本語の文章が、後者はいかなる文章も「ディスクール」だと考えているからである。そして、そこでの主体のありようは、Iモードもしくは内態＝中動態と呼ばれるものに近似している。かくして、以上から見えてくるのは、中動態が「イストワール」と呼ばれる非人称的なエクリチュールとは似て非なるものだということである。[29]

バルトの「「書く」は自動詞か？」に戻ろう。現代文学は「発話行為の現在」を探求するというバルトの主張は、テクストの起源をテクストの外部に存在する作者の意図に求める従来の文学研究への異議申し立てとして提起される。つまり、書くことは書くこと以前に書くことの外部に存在してきた主体によって意図的に生み出されるのではなく、書くことの主体は、バンヴェニストが発話行為について述べたように、書くことの現在時に立ち上がるというわけである。「現代の書き手はテクストと同時に誕生する」[30]。「作者の死」という人口に膾炙した概念が意味するのはこのことである。なお、上記のように主張するとき、バルトはバンヴェニストのみならずオースティンによる言語行為論をも参照している。当時、言語行為論は、バンヴェニストが、すでに自分が構想していたことと重なるという注記および細部についての批判と共にフランスに導入しつつあった。[31]その言語行為論は、発話の現在性と一回性（「いま、ここ」）が言語行為の成立の不可欠の条件であるという点で、バンヴェニストのディスクール理論と通底している。バルトはその双方を参照しつつ、書くことはいまここで生ずる、と言うのである。

人称に関する節でも、バルトは同様に、「「私」とは、『「私」という言語上の審級を含む現在のディスクールの審級を言表している個人』である」という前掲の命題を現代文学のエクリチュールに見出している。現代文学は、書くことの主体がテクスト以前に存在するという「欺瞞」に異議申し立てをし、「書き手がテクストと同時に誕生する」様を見せようとしているというわけである。その方法は「現在自我中心主義〔nyégocentrisme〕」と呼ばれ、その範例はソレルスの『ドラマ』や、ロブ゠グリエの『迷路のなかで』の書き出し、「私はいま、ここに、ただ一人でいる〔Je suis seul ici et maintenant〕」に見出される。[32] しかし、この一文によって書くことの主体たる「私」が立ち上がると考えるとき、そこには、この一文がいまここで発話されるのではなく「いま、ここ」と書かれたものであることへの配慮が欠けてはいないだろうか。書かれた「いま」とは、「ここ」とは、ひいては「私」とはいったい何か、という気味の悪い問いを見て見ぬ振りをしてしまっていないだろうか。いったい、「今日、お母さんが死んだ。もしかしたら昨日かもしれないが、わからない」という『異邦人』の書き出しを読むことは、眼の前の発話者の現前によって「今日」と「昨日」と「私」と「お母さん」が意味を充実させることと同じだろうか。

しかし、バルトはさらに態に関する節へと進み、そこで、「中動態は、現代的な「書く」の状態に完全に対応している」と明言する。すなわち、「今日、書くということは、自らを言葉（パロール）の過程の中心とすることである。自分自身に作用しつつエクリチュールを実践することである[33]」と、まさしくバンヴェニストによる中動態の定義がエクリチュールに適用される。そして、以上から明らかであるように、時称と人称の節で援用されるディスクール理論と態の節で援用される中動態論はきわめて似通っている。「「我」と言う者が我である」ということと、「主語がその過程の座であ」り、「主語の表すその主体はこの過程の内部にある」ということは重なっており、「言葉における主体性」の考え方は、行為の「座」としての主体という中動態のあり方と合致する。主体は行為以前にあって行為を明確に意図する者ではなく、「私」と言うという行為の座となった者だというわけである。再帰代名詞において発見される主体と言ってもよいだろう。かくしてバルトは、書くという行為は行為以前に存在する主体の意図によって明確な対象に対して、すなわち、他動詞的になされるのではなく、書くという行為が自動詞的に行われる瞬間に、その「座」として書く主体が現れるのだ、という構図を浮かび上がらせる。これは、なるほど、芸術作品の創造は中動態的であると言われるときの様態に酷似している。書くことはそうした中動態的な芸術創造の一つだということになるだろう。

　しかし、本当にそうだろうか。私たちが先ほど差し挟んだ疑問を思い出そう。バルトによってエクリチュールに援用されているのは、バンヴェニストや言語行為論においては、一人称と二人称で指し示される者同士の間の現在における発話、言い換えればコミュニケーションについて立てられた理論である。もちろん、バンヴェニストや言語行為論にとっては、そのようなコミュニケーションこそが言語活動の本質を成すものであるから、対象が限定的だということにはならない。むしろ、サールが明確にしたように、言語行為論においては、虚構作品における言説は真の言語行為ではなく、その「振りをしている〔pretend〕」ものとして二次的な位置づけを与えられる。[34] しかし、だとすれば、ディスクール理論や言語行為論を根拠に「書く」は中動態だと主張することは、文学作品を書くことは「私」と「あなた」のコミュニケーションの一種だと認めることに等しい。そして実際、「作者の死」も含めて、少なくとも六〇年代までのバルトは明確にこの見解に与している。「物語の構造分析序説」（一九六六）の第四節「語り（ナラシオン）」は「物語のコミュニケーション〔La communication narrative〕」という節で始まる。[35] そして、この節が先鞭を付けたナラトロジーも、その確立者ジュネットの主著が『物語のディスクール』（一九七二）と題されていることからも窺えるように、明確にこの立場に属している。ナラトロジーとは、一人称小説であると三人称小説であるとを問わず、物語には必ず語り手が存在し、その語り手の「ディスクール」こそが物語であるとする理論である。語り手の存在しない文を探究したバンフィールドに対して、ジュネットがいくどかきわめて辛辣な評価を下しているのもそのためである。そのうちの一箇所で、ジュネットは次のように語っている。「物語言説であろうとなかろうと、私がともかく一冊の書物を開いてみるのは何のためかといえば、それは、作者が私に話しかけてくるからである。そして、私は、まだ、耳も口も不自由はないのだから、こちらの方から作者に返事をすることさえありえないわけではない」。[36] しかし、ナラトロジーが書物をコミュニケーションモデルで捉えていることの証左である。しかし、ナラトロジーの認知度が圧倒的に高いとはいえ、物語理論はナラトロジーだけではない。

2　物語理論と二人のバンヴェニスト

物語理論の再考を意欲的に推し進めるジル・フィリップやシルヴィ・パトロンが的確に指摘しているように、[37] 今日、物語理論は語りにおける言語機能の捉え方において大きく二つに分けることができる。一方は、二十世紀の言語学が展開した発話理論に基づいて虚構の物語を「コミュニケーション」の一種として捉える見方であり、その代表はジュネットによって確立されたナラトロジーである。ナラトロジーは二十世紀の物語理論を席巻したため、このタイプの物語理論は今日に至るまで優勢である。フィリップの言を借りれば、この流派は、「一つの発話は一人の話者から発する何らかの発話行為の産物である」という「良識的」観念に基づき、「たとえテクスト内に顕現していないとしても、すべての物語には「語り手」が存在する」と考える。[38] 本稿ではここまでバンヴェニストの発話理論とバルトのエクリチュール論の関係を追ってきたので、「コミュニケーション的」物語理論の言語学的背景にバンヴェニストの発話理論があることは理解しやすいだろう。

ところが、もう一方の考え方も、バンヴェニストを枢要な参照項としている。とはいえ、もはや言うまでもないと思われるが、あくまで「フランス語動詞における時称の関係」のバンヴェニストである。それは次のような見解である。「虚構の物語、もしくはある種の虚構の物語とコミュニケーションは相互に排他的なカテゴリーである。この理論によれば、虚構の物語はコミュニケーション行為ではない、もしくは、必ずしもそうではない」。その意味で、この考え方は「非コミュニケーション」理論と呼ばれる。[39] この理論は、フィリップによれば、一九二〇年代に萌芽が見られた後、一九五〇年代末にバンヴェニストの上記の論文およびケーテ・ハンブルガーの『文学の論理』(一九五七)によってほぼ同時に提示された。『文学の論理』においてハンブルガーは、数々の文学作品の分析を通して、三人称小説に時間的過去を表すのではない過去形、現実にはいかなる観察者も到達できない登場人物の内的主観的経験の記述、自由間接文体、といった言語的特徴が現れることは、文学作品がコミュニケーションにおける発話とは異なる位相にあることを示していると論じた。[40] バンヴェニストの「イストワール」概念およびハンブルガーの問題提起は、一九七〇年代にチョムスキー派の二人の言語学者、クロダとバンフィールドによって、「語り手なしの語り」という仮説の追究という形で引き継がれることになった。バンフィールドは、ハンブルガーを引き継ぐ形で、コミュニケーション的発話の論理では捉えきれない小説の言語的特徴に焦点を当て、とりわけ自由間接文体の研究に取り組んだ。それはなぜなら、直接話法の統語にも間接話法の統語にも適合しない自由間接文体は、書かれた文章に特徴的な手法だからである。[41] パトロンは次のように指摘している。「アン・バンフィールドにとって、自由間接文体とは、作者の(いわんや、作者の創造物とみなされる語り手の)発話における消去または退隠である。作者は、自らの発話行為のあらゆる痕跡を消去しながら物語から退隠するのである」。[42] したがって、物語理論の二つの流派に参照される二人のバンヴェニストがいるとは言えるが、「非コミュニケーション」理論がバンヴェニストの目指したディスクール理論でないことは明らかである[43]。

フィリップが整理するとおり、学問的系譜としては、バンフィールドは確かにバンヴェニストの一九五九年の論文とハンブルガーの『文学の論理』の延長線上でそれらに「より堅固な言語学的基盤を与え[44]」た。しかし、実のところ、エクリチュールは作者の発話者としての消滅を可能にするというバンフィールドの命題のいわば思想的基盤となっていたのは、バルトとはまた異なる仕方で「エクリチュール」を思考し続けた作家・文芸批評家、モーリス・ブランショの諸著作である。バンフィールドは、デカルト的コギトの書き換えの系譜をブランショにおけるエクリチュールの非人称性まで辿るという壮大な論文をブランショに捧げている[45]。

おわりに——自分を見つけないこと

ブランショは生涯を通して「エクリチュール」を探究し続けた文学者だが、それは彼にとって、書くことが言葉を、「私」と「あなた」の関係において交わされる発話とは異なる位相に導くものであるからである。「いまは夜である」と書かれた紙片を日中に眺める経験についてヘーゲルが指摘したように[46]、そこでは「私」や「あなた」、「いま」や「ここ」といった指呼詞が「気の抜けた〔schal〕」もの、不活性なものになってしまう。その不活性性は、バンヴェニストが三人称について、人称ではない、と述べたのと同じ状態である。『文学空間』において、ブランショはまさしく次のように述べている。「書くとは、言葉を私自身に結びつけるつながりを断ち切ることだ、私に「あなた〔toi〕」に向かって語らせる関係、私の語る言葉があなたによって了解されるようなかたちで私に語らせる関係――なぜなら、その言葉はあなたに問いかけるのだし、あなたのなかで終わるがゆえに私のなかで始まる問いかけだからだ――、そういう関係を打ち壊すことなのだ[47]」。それゆえ、「私は書いている」と確信をもって言うことは誰にもできない。カフカ論のなかで、ブランショは述べている。「誰も、「私は書いている」と主張することはできない。そうではなくただ、「おまえは書いているのか？　そうなのか？　書いているのだろうか？」と問うことができるだけだ[48]」。

書くことは、なるほど、バルトが「作者の死」などで主張したように、書くこと以前に存在する、来歴をもった「私」に支えられるのではない。しかし、だからといって、「私は書いている、ゆえに私は存在する」と言わんばかりに、「いまここで書いている私」という主体を立ち上げるとも限らない。バルトにおける中動態的エクリチュールが、「私はいまここで書いている、ゆえに私は存在する」と瞬時にコギト的主体を見つけさせるものだとすれば、ブランショにおける非人称的エクリチュールは、「私は書く、ゆえに私は存在しない[49]」しかもたらさない。ブランショにおいては、書くことは自分を見つけることではない。自分から遠ざかることである[50]。エクリチュールのこのような理解においては、バンヴェニストの主体論としての中動態論文に則した中動態は非人称ではなく、翻って、「書く」は中動態ではない。

【註】

（1） Émile Benveniste, « Actif et moyen dans le verbe », *Problème de linguistique générale*, t. 1, Gallimard, 1966. エミール・バンヴェニスト「動詞の能動態と中動態」『一般言語学の諸問題』岸本通夫監訳、みすず書房、一九八三年。以下、本書の参照頁は「原書／訳書」の形で本文中に記す。なお、本稿の引用訳文は、既訳がある場合は参照し、頁数を示すが、変更を加えさせていただく場合もある。

（2） アガンベンも『身体の使用』でバンヴェニストの中動態論文に依拠しているが、直接的には、中動態を取る「chrēsthai」（使う）という古代ギリシア語の動詞について考察するためであるため、ここには含めないでおく。ジョルジョ・アガンベン『身体の使用』（二〇一四）上村忠男訳、みすず書房、二〇一六年、五二―六二頁。

（3） Roland Barthes, « Écrire, verbe intransitif ? », *Le bruissement de la langue*, Seuil, « Points essais », 1984. ロラン・バルト「書くは自動詞か?」『言語のざわめき』花輪光訳、みすず書房、一九九七年。*La Préparation du roman : cours au Collège de France 1978-1979 et 1979-1980*, texte annoté par Nathalie Léger et Éric Marty, Seuil, 2015, points, 2019. バルト『小説の準備』石井洋二郎訳、筑摩書房、二〇〇六年（原著の二〇〇三年版の翻訳）。

（4） 本書の荒金直人の論考を参照。Bruno Latour, *Sur le culte moderne des dieux faitiches, suivi de Iconoclash*, La Découverte, 2009. ブリュノ・ラトゥール『近代の〈物神事実〉崇拝について』荒金直人訳、以文社、二〇一七年。

（5） 長井真理「分裂病者の自己意識における「分裂病性」」『内省の構造』岩波書店、一九九一年。木村敏「中動態と自己の病理」「自己の「実像」と「虚像」」「自分が自分であるということ」『あいだと生命』創元社、二〇一四年。引用は、後者、一二三頁。なお、長井真理が同論文で行っているデカルトのコギトの再検討（一九一―一九五頁）は、本稿が最終的に参照するバンフィールドの非人称論と相似しており、バンヴェニストへの依拠を除けば本稿の主旨と合致している。

（6）森田亜紀『芸術の中動態』萌書房、二〇一三年。

（7）國分功一郎『中動態の世界』医学書院、二〇一七年。

（8）この点については、文景楠「書評：國分功一郎著『中動態の世界』」『東北学院大学教養学部論集』一八〇巻、二〇一八年を参照されたい。文は次のように述べている。「本書のように1（「動詞が（例えば）能動態と受動態の対立で構成される言語をもつこと（動詞の態の形態論）」）の段階のみに依拠して4に至るすべて（「動詞が「する」と「される」の対立からなる言語をもつこと（動詞の態の意味論）」、「意志（と責任）の概念を有する言語をもつこと（語彙の問題）」、「意志（と責任）が実際にあること（存在論）」）を推測し、今自分に与えられた言語よりも望ましい「古き良き言語」をどこかに追い求める試みに対しては用心深くあるべきだろう」（一二四頁）。言語と思考の関係については、デリダのバンヴェニスト批判の読解という形で、私たちも以下で論じた。郷原佳以「デリダの文学的想像力5　「私は書く」の現前性から「私は死んでいる」の可能性へ――バルト、バンヴェニスト、デリダ4」『みすず』二〇一九年八月号、みすず書房。

（9）バンヴェニストによる「発話行為（エノンシアシオン）」の定義は以下の通りである。「発話行為とは、言語使用という個人的行為によって言語を機能させること〔mise en fonctionnement de la langue par un acte individuel d'utilisation〕である」（« L'appareil formel de l'énonciation », *Problèmes de linguistique générale*, t. II, Gallimard, 1974, p. 80.「発話行為の形態的装置」『言葉と主体』阿部宏監訳、岩波書店、二〇一三年、八〇頁）。ただし、小野文が詳論しているように、この定義に収まるわけではない。Aya Ono, « *Énonciation* : Le mot et la notion », *La Notion d'énonciation chez Émile Benveniste*, Lambert-Lucas, 2007, p. 57.

（10） Aya Ono, « Énonciation et Subjectivité », *ibid* ; « Prépositions, verbes pronominaux et voix moyenne. Un nouveau point de vue sur la subjectivité langagière d'Émile Benveniste », *Blityri*, VII-2, 2018. ただし、本書所収の小野論文は、バンヴェニストにおける「sujet」を「主体」と解すことを批判している。

（11） Roland Barthes, « Situation du linguiste » (1966), *Œuvres complètes*, t. II, Seuil, 2002, « Pourquoi j'aime Benveniste » (1974), *Le bruissement de la langue*, *op. cit.*「なぜバンヴェニストを愛するか」（二篇合わせての翻訳）『言語のざわめき』前掲訳書。

（12） この論文の読解は以下の拙稿と重なる部分があることを了承されたい。「デリダの文学的想像力2 「私は書く」の現前性から「私は死んでいる」の可能性へ——バルト、バンヴェニスト、デリダ（1）」『みすず』二〇一八年十二月号。

（13） 花輪光「ロラン・バルトの言語圏、または幸福なバベル」『文藝言語研究』五巻、一九八一年、四二頁。

（14） Barthes, « La réponse de Kafka » (1960), *Œuvres complètes*, t. II, *op. cit.*, p. 396.「カフカの返答」『ロラン・バルト著作集5 批評をめぐる試み』吉村和明訳、みすず書房、二〇〇五年、二〇八頁。

（15） Barthes, « Écrivains et écrivants » (1960), *ibid.*, p. 404-405.「作家と著述家」『ロラン・バルト著作集5』、二二〇—二二一頁。

（16） « Écrire, verbe intransitive ? », art. cit., p. 27, 30.「書くは自動詞か」、二八、三二頁。

（17） *La Préparation du roman : cours au Collège de France 1978-1979 et 1979-1980*, *op. cit.*, p. 345-353.『小説の準備』、二四六—二五〇頁。

（18） Ann Banfield, *Unspeakable sentences. Narration and Representation in the Language of Fiction*, Routledge, 1982, p. 17. ただし、バンフィールドが自らの理論に活用しているのはあくまで「イストワール」概念であって、時称や人称をめぐるバンヴェニストの発話理論にはたびたび異議を表明していることには注意しておきたい。

（19） « Écrire, verbe intransitive ? », art. cit., p. 25.「書くは自動詞か」、二五—二六頁。

(20)　Gérard Genette, *Nouveau discours du récit* (1983), *Discours du récit*, « Points essais », 2007, p. 371.『物語の詩学』和泉涼一・青柳悦子訳、水声社、一九八五年、一〇四頁。

(21)　Barthes, *Le Degré zéro de l'écriture*, Seuil, « Points essais », 1972, p. 27-34.『零度のエクリチュール』石川美子訳、みすず書房、二〇〇八年、四一―五一頁。

(22)　Aya Ono, « La réception japonaise de « De la subjectivité dans le langage » », *Émile Benveniste, 50 ans après Les problèmes de linguistique générale*, dir. Giuseppe d'Ottavi et Irène Fenoglio, Éditions Rue d'Ulm, 2019, p. 222-226.

(23)　荒木亨「誰も言わない文章はあるか」『国際基督教大学学報　アジア文化研究別冊』第五号、一九九四年、二九頁。表題は反語であり、バンフィールドの *Unspeakable Sentences* への反論を意味している。

(24)　同前、三〇―三一頁。

(25)　荒木亨「通態性と日本語の特徴」『国際基督教大学学報　アジア文化研究別冊』第五号、八八頁。

(26)　木村敏も、日本語では「中動態に相当する語法が現在でも広く行われている」と述べている。『あいだと生命』、一二七頁。

(27)　中村芳久「認知モードの射程」、坪本篤朗・早瀬尚子・和田尚明編『「内」と「外」の言語学』開拓社、二〇〇九年、三五九、三六三頁。

(28)　渡邊淳也「認知モード、アフォーダンスとフランス語」『TAMEに関する多言語研究と認知モード』TAME研究会、二〇二〇年、一六八―一七〇、一七九―一八二頁。熊倉千之も同じ『雪国』の冒頭文を引き、「覆面の語り手」による「私」的で「主観的」な表現」を見て取り、次のように述べている。「外の世界を外の世界として表出する英語の意味と、外の世界を観察する人の、外の世界に対する反応の表出としての日本語とは、このように異質だ」(『日本人の表現力と個性』中公新書、一九九〇年、六二―六三頁)。

(29)　それゆえ、私たちは、バンヴェニストにおける「イストワール」に中動態性を見出す赤羽研三の解釈に同意していない。赤羽研三「語りの言語とは何か――小説における描写を中心に」『ナラティヴ・メディア研究』第七号、二〇一八年、一〇、四九—五一頁。

（30）Barthes, « La mort de l'auteur », *Œuvres complètes*, t. II, *op. cit.*, p. 43.「作者の死」『物語の構造分析序説』花輪光訳、みすず書房、一九七九年、八四頁。

（31）Benveniste, « La philosophie analytique et le langage », *Problèmes de linguistique générale*, t. 1, Gallimard, 1966.「分析哲学とことば」『一般言語学の諸問題』前掲訳書。

（32）« Écrire, verbe intransitive ? », art. cit., p. 27. 書くは自動詞か」、二八—二九頁。

（33）*Ibid.*, p. 29. 同前、三一頁。

（34）John R. Searle, "The Logical Status of Fictional Discourse", *Expression and Meaning*, Cambridge University Press, 1979, p. 65. ジョン・R・サール「フィクションの論理的身分」『表現と意味』山田友幸監訳、誠心書房、二〇〇六年、一〇七頁。

（35）Barthes, « Introduction à l'analyse structurale des récits », *Œuvres complètes*, t. II, *op. cit.*, p. 853.「物語の構造分析序説」『物語の構造分析序説』花輪光訳、みすず書房、一九七九年、三六頁。

（36）Gérard Genette, *Nouveau discours du récit*, *op. cit.*, p. 373.『物語の詩学』、一〇七頁。

（37）Gilles Philippe, « L'ancrage énonciatif des récits de fiction. Présentation », *Langue française*, no 128, 2000, p. 4. Sylvie Patron, « Sur l'épistémologie de la théorie narrative (narratologie et autres théories du récit de fiction », *Les Temps Modernes*, no 635-636, 2006, p. 263-264.

（38）« L'ancrage énonciatif des récits de fiction. Présentation », art. cit., p. 4.

（39）« Sur l'épistémologie de la théorie narrative (narratologie et autres théories du récit de fiction », art. cit., p. 264.

（40）Käte Hamburger, *Die Logik der Dichtung*, Ernst Klett, 1957. ケーテ・ハンブルガー『文学の論理』植和田光晴訳、松籟社、一九八六年。

（41）« Sur l'épistémologie de la théorie narrative (narratologie et autres théories du récit de fiction », art. cit., p. 273.

(42) *Ibid.*, p. 274.

(43) したがって、すでに他所で指摘したが（『みすず』二〇一九年四月号、一八頁）、ロベルト・エスポジトが「非人称＝三人称の思考」を辿ろうとしてバンヴェニストの人称論に依拠しているのはミスリーディングである。ロベルト・エスポジト『三人称の哲学』岡田温司監訳、講談社、二〇一一年、二六―二七頁、一六八―一六九頁。

(44) « L'ancrage énonciatif des récits de fiction. Présentation », art. cit., p. 6.

(45) Ann Banfield, "The Name of the Subject: The "Il"?", *Yale French Studies*, no 93, "The Place of Maurice Blanchot", 1998.

(46) G. W. F. Hegel, *Phänomenologie des Geistes*, Werke 3, Frankfurt am Main, Suhrkamp, 1970, p. 84. ヘーゲル『精神現象学』（上）樫山欽四郎訳、平凡社ライブラリー、一九九七年、一二六頁。

(47) Maurice Blanchot, « La solitude essentielle », *L'Espace littéraire*, Gallimard, 1955, « Folio essais », p. 21. モーリス・ブランショ「本質的孤独」『文学空間』粟津則雄・出口裕弘訳、現代思潮社、一九六二年、一七頁。

(48) Blanchot, « Kafka et l'exigence de l'œuvre », *ibid.*, p. 63.「カフカと作品の要請」『文学空間』、六四頁。

(49) ブランショの小説『謎のひとトマ』には、「私は考える、ゆえに私は存在しない」という一文がある。Blanchot, *Thomas l'Obscur*, nouvelle version, Gallimard, 1950, « L'imaginaire », 1995, p. 114.『謎の男トマ』菅野昭正訳、『ブランショ小説選』書肆心水、二〇〇五年、一三五頁。

(50) この点について、本書執筆者の熊倉敬聡氏より、「バルトの中動態的エクリチュールが、「書くこと」における主体のつどの「生滅」の「生」に力点を置き、逆にブランショは「滅」の方に力点を置いて捉えており、ちょうど裏表の関係にある」のではないか、という指摘をいただいた。

心理療法と中動態
――治療者が参与する主体の変容／生成の過程

藤巻るり

はじめに

心理療法は、心理的に悩みや問題を抱えている人に対して、専門職が行う心理的な支援である。専門的な支援といっても、心理療法は、病気を治したり（医学モデル）、正しい解決方法を教えたり（教育モデル）といった直接的な問題解決の方法とは大きく異なる。こころの問題は個々人の多様な価値観に基づくため、身体の病気のような一般的な治癒の方向性を想定しにくい。さらに、こころは自律的な性質を持つ現象であり、外側から操作的にそのあり様を変えることができない。クライエントの内的世界を重視する精神力動的な立場や、家族など関係性のシステム論に基づく立場など、心理療法にはさまざまな人間理解の理論とそれに基づくアプローチの方法があるが、どの立場もこころの自律性を前提とし、クライエントの主体性を尊重する点は共通している。治療者は、症状や困りごとを直接解決するのではなく、事態が自ずと然るべき状態になるように専心するのである。[1] このような心理療法観を、河合隼雄（1992）は自然（じねん）モデルと呼んだ。自律的な過程に主体的に関わるという治療者のあり方は、一見矛盾しているようにも思える。こうした心理療法の特性を理解する鍵概念として、本論は中動態に注目する。

近年、当事者研究や精神医学などの人間科学諸領域においても、中動態が注目されている（熊谷・國分 2017; 國分・斎藤 2019; 國分・熊谷 2020）。言語学的に謎も多いとされる過去の文法概念が、思想や人間科学諸領域など言語学以外の分野で注目されているのは、能動－受動、主体－客体の枠組みでは捉えきれない事象を捉えうる概念として期待されているためであろう。ちなみに國分功一郎の『中動態の世界』（二〇一七）は、医学書院の〈ケアをひらく〉シリーズから出版されている。医学書院がＤＳＭ（米国精神医学会の精神疾患の診断・統計マニュアル）の日本語版を出している出版社であることを考えると、人間のこころの問題には、主客の分離に基づく従来の知では立ち行かない側面があることに、世の中が目を向けはじめていることがわかる。

中動態の解釈をめぐる議論のなかでも、主語が過程の「内」にあるというバンヴェニストの定義は大変興味深い。心理療法は、治療者自身が治療過程に当事者として参与するという特性をもっているからだ。心理療法の治療的機序は言語化が難しい。それは、かつて中動態という態が担っていた事象に関わっている可能性もあるのではないだろうか。

筆者は、発達障害児の心理療法の治療的機序について、主体を生み出す中動態的な力動として論じた（藤巻 2020a）。また、心理療法全般における治療者の姿勢についても中動態的な特性があるのではないかと指摘した（藤巻 2020b）。一般的に、心理療法はクライエントの主体を前提とする主体の変容過程であり、後述するように発達障害児の心理療法は主体の生成自体を目指す過程である。主体の変容と生成という質の異なる過程が心理療法という共通の枠組みで可能であるとすれば、それはなぜなのだろうか。鍵となるのは、治療者が当事者として治療過程に参与するという心理療法の特性である。本論はこれについて中動態という視点から考察する。また主体の生成過程と中動態についても、新たな見解（國分・熊谷 2020）が発表されているので、それを踏まえて再度検討したい。

1 心理療法過程の説明しづらさ

（1）自律的な過程への主体的関与をどう記述するか

『カウンセリングで何がおこっているのか』、『ポール・ワクテルの心理療法講義――心理療法において実際は何が起こっているのか？』、『セラピストの主体性とコミットメント――心理療法の基底部で動くもの』（傍点引用者）――ここに挙げた本のタイトルのように、心理療法は自動詞的な表現で記述されることが多い。先に述べたように、心理療法がこころの自律性を前提としているためであろう。問題となるのは、自律的な過程に治療者がどのように関わっているかということであるが、これを端的に表現するのはことのほか難しい。ひとつの例を挙げてみたい。『カウンセリングで何がおこっているのか』（桑原 2010）という本の帯には次のように記載されている。

「カウンセラーは、ただ黙って聴いているだけなのか？　心理臨床の場で何がおこっているのか。その能動的な営みを明らかにする。」（傍点引用者）

「ただ黙って聴いている」というありがちなカウンセラーの受動的イメージを打ち消すように「能動的な営み」と表現されているが、カウンセラーが何をしているのかではなく、何が「おこっているのか」という自動詞表現が使われている。「おこっている」という出来事的な過程が「能動的な営み」とはどういうことなのか。

心理療法における治療者の姿勢は当然のことながら主体的であるが、それを能動的と言ってしまうと外側からコントロールするニュアンスを帯びてしまう。むしろ治療者は起きている過程に身を委ねるような側面もあるが、それを受動的と表現すれば、今度は主体的というニュアンスが消えてしまう。心理療法における治療者の姿勢を表現しようとすると、このような二律背反にぶつかる。そこで、治療者の行為の能動性と受動性をそれぞれ列挙して論じたり（氏原 2002）、「能動性を内包する受動性」（村瀬 2020）といった複合的な表現がなされたりする。いずれにしても、治療者の姿勢は能動‐受動という言葉では表現しきれないということであろう。

さらに上記の例では、能動－受動だけでなく、主語が誰なのか（カウンセラーなのか、心理療法過程で起こっている出来事なのか）という点も曖昧に揺れている。ここには、心理療法という自律的な過程の主体とは何かという根源的な問いも含まれている。さまざまな立場があるため、心理療法一般として大きく括って論じることは難しいが、少なくとも心理療法は、能動－受動、主客の分離の構造に馴染みにくい性質を持っているといえるだろう。

（2）中動態について

バンヴェニスト（Benveniste 1966〔1983〕）によれば、かつてインド＝ヨーロッパ語には、能動態－受動態の対に先立って、能動態－中動態の対があった。バンヴェニストは、能動態と中動態をそれぞれ次のように定義している。能動態は主語の外で行われる過程をあらわし、主語の参与は必要とされない。それに対して、中動態は主語が過程の内にあるという特徴を持つ。中動態の主語は「過程の場所」（170）であり、「まさしくみずからがその動作者である過程の内部にいる」（ibid.）。バンヴェニストは、この二つの態の違いを端的に「主辞が単に事を行うか（能動態の場合）、みずからもその影響を被りつつ事を行うか（中動態の場合）」（171）とも述べている。

中動態を物事の捉え方として敷衍する際に、バンヴェニストの定義が参照されることが多いが、研究者によって注目する観点が異なるため、そこから導き出される解釈はさまざまなニュアンスを帯びている。それは中動態自体の解釈可能性の幅でもあるだろうし、バンヴェニストの定義が過程という動的な概念との関係に基づくためであるとも考えられる[2]。

ここでは、特に心理療法との関係で重要と思われる中動態の解釈をいくつか挙げる。

① 再帰的な側面。中動態の主語は、行為者であると同時にその過程が起きる場でもある、つまり自らに作用する。

② 相互的な側面。自らも影響を受けながら行為するということから、自らに戻ってくる動きだけでなく過程の中で相互的なあり方をすることも想定される。

③ 主語の参与。中動態の主語は、過程の内側にいる、つまり過程に参与している。

④ 主体の自己変状。中動態の主語は自らも影響を受ける、つまり変化する。その変化は自ら引き起こした過程において生じる変化である。

⑤ 自動詞的な側面。主語は出来事が起きている場所であるということから、無主語文や自動詞的に捉えられる。

⑥ 主体生成的な側面。主体は過程と同時的に構成（生成）される。

①から⑤まではバンヴェニストの記述から比較的容易に導き出せる内容であろう。⑥に関しては、バンヴェニストは主体の生成について直接言及しているわけではないが、バンヴェニストの定義に出てくる過程という概念が動的な性質をもつため、過程の場所である主語（主体）は、その過程が

生じる以前には、もしくはその過程と独立したものとしては想定できず、過程において成立するという考え方である（Lacan 1981〔1987〕; Barthes 1984〔1987〕; 森田 2013）。主語の成立が構成（組み立て直す）のニュアンスの場合には④に、生成（一から生成する）のニュアンスの場合には⑤に近くなる。

2　心理療法過程の中動態的特徴

心理療法過程には、上記の中動態であらわされる特性と重なる点が多い。以下に、それを挙げてみたい。

（1）過程への参入

心理療法は、なんらかの困りごとを抱えたクライエントが来談し、治療者がそれを受けとめるところから始まる。そこで特徴的なことは、治療者自身も治療過程に入るということである。場で起きている事象を自分もその中に含めて捉える関与的観察 participant observation（Sullivan 1954〔1986〕）は、対人援助職の基本姿勢として多くの職種に共有されているが、心理療法の場合には、それも含みつつ、さらに一歩踏み越える。心理療法には、ケースワークや作業療法などのような、関わりと区別できる具体的な支援行為というものがないからだ。心理療法の本態は、関わり合い、互いに影響し合う過程そのものなのである。

心理療法で扱うこころの現象は、客観的に対象化して捉えることができない。もちろん心理療法においても専門的知識を踏まえた「見立て」を行うが、それでもクライエントと向かい合う時、治療者には専門家として自らが脅かされない立ち位置というものはない。こころの現象は、同じくこころを持ち、その現象の中にいる者にしか把握できないためである。治療者は「現象を観察するなどというものではなく、現象を経験しているというべき状態」（河合 1967: 7）となる。このような相互的な場において治療者が発揮する主体的な態度を、心理療法ではコミットメント commitment という言葉で共有してきた。

コミットメントはさまざまな含みを持つ言葉である。「暗黙知」を提唱したポランニーはコミットメントに度々言及しているが、訳本によって「自己投出」、「傾倒」、「掛かり合い」などさまざまな訳語があてられている。自らを投げ出すことと、事象と掛かり合うことは、全く異なることのようであるが、たしかに心理療法における治療者の姿勢は、この矛盾した要素を含み持つ。河合隼雄は、治療者が中立性を破り、自らの存在をかけて事象に入り込む契機でコミットメントに言及している（河合 1986; 1996）。自らの存在をかけるというのは、それ以外の可能性を見ずに独善的に行動するという意味ではない。むしろさまざまな可能性がある中で、あえてこの見方をする、この応答をする、もしくはしないと決断し、その責任を負いながら事の成り行きを注意深くみつめ、さらに関わりを続けるということである。言いかえれば、治療者のコミットメントは、治療過程に巻き込まれるべく自らを投げ出す、もしくは過程に身を投げ入れることだといえるだろう。バンヴェニスト（1966〔1983〕）によれば、動詞の態は「過程に関する主辞の態度」（167）を表わすという。治療者の治療過程に対する態度は、自らが行為者であると同時にその過程の中にいる、中動態の性質を端的に示しているように思われる。

（2）過程が生じる場所となる

治療者はクライエントと共に「治療というこころの過程の構成要素」となり、「変容をもたらす影響力」に曝される（Jung 1929〔2018〕: 58）。治療者とクライエントは、もしくは両者の関係は、「治療というこころの過程」が起きる場所となり、同時にその登場人物となる。

例えば、治療者とクライエントの関係は文字通りの対人関係ではなく、治療過程という自律的なこころの現象が起きている場所であると考えられている。転移（逆転移）という概念は、治療関係を、クライエントの心的世界の再演の場と捉える考え方である。そこでは治療関係がクライエントの心的世界の表象となり、二人によって生きられた上で、それが解消されることが意味をもつ。

また治療関係には、クライエントの自己意識の再演という側面もある。ギーゲリッヒ（Giegerich 2020）によれば、クライエントにとっての治療者は、ブーバーやレヴィナスのいうような「完全なる他者 wholly other」ではなく、「〈非‐私〉として、そのなかに止揚された私のいくらかをまだもっている他者」（47）を表象する。治療者が、いわばもう一人の〈私〉となって聴き、共感し、対峙するからこそ、治療者への語りはクライエント自身に返っていくという再帰的なニュアンスを帯びるのである。

夢分析や箱庭療法など、こころの自律的な動きの表われであるイメージを媒体とする心理療法においては、イメージに治療者が参入することが求められる。治療者には、イメージを対象化して解釈する外側の立ち位置は許されない。治療者は、自らの主観も、イメージの自律的な動きが展開する「あれやこれやの連想が浮かぶための場所」(Giegerich 2001: 48) として過程に使われるに任せるのである。

心理療法において、治療者は理論や技法など何かを外側から適用するのではなく、理論や技法を十分に学んだ上で、それを一旦は忘れて治療状況に向き合うことが重要である。そして、それらが自らを通して過程の中で浮かび上がってきた時には、その場で起きていることと既存の知との対話を生きる、つまり即興する。このように心理療法とは、こころの自律的な過程に治療者が参入し、巻き込まれることで生じる、さまざまな次元の「対話」なのである。

(3) 主体の変容と生成

はじめに述べたように、心理療法とは一般的には主体の変容過程である。治療者との対話が、〈私/非-私〉という「二つの心的領域」の対話となるには、クライエントがすでに〈私/非-私〉が分かたれた心的構造を持ち、悩みを抱え、それを語り、自らを省みる主体であることが前提となる。

　これに対して、そもそも世界が〈私／非-私〉に分かたれる以前の状況を生きているクライエントも存在する。後に詳述するように、近年増加傾向にある自閉スペクトラム症をはじめとする発達障害は、自己感を含めた主体の成立そのものに問題を抱えている。従来の心理療法は主体を前提とした主体の変容過程であるため、主体が成立していない発達障害には無効であるという考え方もあるが、河合俊雄ら（2010）は発達障害を「主体のなさ」と捉えた上で、心理療法を通して主体の生成に立ち合うという新たな心理療法観を提唱している。筆者も河合らと共通の問題意識から、発達障害児の心理療法が、一なるものの中から異化する動きが生まれる主体の生成過程であることを示した（藤巻 2020a）。そこでは、従来の心理療法が弁証法的な力動を持つと言われるのに対して、発達障害の心理療法の特性を中動態的な力動として論じた。

　しかし先に述べたように、中動態には、主語が過程において成立するという解釈を許す側面があり、そこには主語（主体）の変容のニュアンスも生成のニュアンスも含まれる。心理療法において、すでに主体として、語り、自らを表現できるクライエントは、治療過程を通して変容する。また、さまざまな困難が起きている「場所」を生きているようなクライエントの場合には、治療過程を通して、何かを感じ、それを誰かとやり取りをする主体として生成する。心理療法が、クライエント（主体）の変容と生成という質の異なる過程に対応しうるのは、心理療法過程が中動態的な性質を持っているからなのではないだろうか。そして、それは治療者の参入という中動態的な姿勢を前提としていると考えられる。

3 主体の生成過程――発達障害児のプレイセラピーから

「主体を前提とするか、主体そのものも生成すると考えるか」[3]という問題意識は、中動態研究の文脈にも見られる。國分（國分・熊谷 2020）は、『中動態の世界』（國分 2017）では中動態の主語の問題については扱えなかったとして、熊谷晋一郎と共に、主体の生成について興味深い議論を展開している。奇しくも、そこで議論の題材となっているのも自閉スペクトラム症の当事者研究である。ここでは國分・熊谷（2020）の議論にも触れながら、発達障害児のプレイセラピー（藤巻 2020a）における主体の生成過程について再度検討したい[4]。

（1）自閉スペクトラム症の体験世界

自閉スペクトラム症（以下ＡＳＤ）は、対人的な相互反応など社会性の障害を持つと言われる。それは、人とうまく関われないといった対人関係の問題として理解されがちであるが、それ以前にＡＳＤは、個としてのまとまりを持てず、自分の輪郭がわからないという、自己感のレベルでの主体の未成立の問題を抱えている。排泄欲求や空腹感などの内臓感覚や、暑さ寒さなどを感じにくいＡＳＤ者は多い。自分の感覚としてはわかりにくくても、感覚自体は敏感であったりもする。これは新生児が生きている体験世界（新生自己感：Stern 1985〔1989〕）に近い。何が起こっているのか、誰に起きているのか、区別のないまま全身で世界と共振している状態である。

ＡＳＤの本態は社会性の問題か、主体のあり方の問題か、という議論は昔から尽きないが、そこには、発達における二つの対立する考え方が反映されている。発達心理学には、古くから主体と社会性概念をめぐる議論があり、なかでもピアジェとワロンの論争は有名である（加藤ら 1996）。ピアジェは、個体である子どもがいかに環境に適応するかを論じた主体を前提とした心理学である。これに対してワロンは、子どものこころが、主客未分化の状態から、他者との関わりを通じていかに主体として分かれていくかを論じた主体の成立過程を扱う心理学である。ワロンにとって社会性とは、対人スキルのような高次の機能だけでなく、生理的なレベルの人への反応性といった原初的なものも含む。ワロンにとっての社会性は、主体の成立以前から発揮されるものであり、むしろ人が主体になっていくための発達原理なのである。

ＡＳＤは、人がいても、それを「人」として体験しにくいという、原初的な意味での社会性（対人反応性）に問題を抱えていると思われる。ＡＳＤの社会性の障害は二次的である、とは単純に言えない理由がここにある。自己感（Stern 1985〔1989〕）は人との関わりを通して発達するからだ。対人反応性の障害は自己感の障害につながる。空腹感、暑い、寒いといった身体感覚でさえ、人との関わりの中で、共有し、調律し合うことで意味づけられて初めて、自らのものとなる。生理的なレベルで人への反応性が弱い、もしくは過敏など、なんらかの特性があることで「人」という相互的な関わりの次元にうまく参入できないと、個としての輪郭が生じず、感覚や感情を他者と調律する体験ができず、それらを自分のものとして（もしくは他者のものとして）帰属させることや意味づけることができないのである。[5]

ワロン（Wallon 1946〔1983〕; 1956〔1983〕）によれば、世界は未分化な状態からいきなり自他に分かれるのではなく、主体の成立は幅のある過程である。子どもは生後数カ月から他者とやり取りができるようになるが、はじめは「ふたつの中心を持った意識」のように「二」に分かれた上で相互浸透する状態が一、二年続く。イナイイナイバーや幼児の追いかけっこには盛り上がりはあっても勝ち負けはない。やり取りの極としての「二」は成立しても、それは差異がなく交換可能で匿名的な「二」なのである。実在の人物との十分なやり取りを通して「二」が確かなものになってから、三歳頃に二つの項の片方を否定して〈私〉が成立する。

項の成立に先立つ二極間の動きが主体を生み出すという考え方は、近年の乳児研究にも認められる。いわば主観（subjectivity）を育む間主観性（inter-subjectivity）の研究である。ビービら（Beebe et.al. 2002〔2008〕; 2005〔2008〕）は、生後数カ月の母子の対面交流を数分の一秒単位でコード化したマイクロ分析を通じて「共構築され続ける相互交流の理論」を提唱した。そこではお互いが、自己調整（自分に向かう動き）と相互交流調整（相手との交流に対して開かれた動き）のパターンを同期させたりずらしたりすることで、進行し続ける交流に互いが貢献している。興味深いことに、内的体験も相互交流の中で組織化されることや、母子間の調整は過度の一致よりも中間程度の一致が健康な発達につながることも指摘されている。

対人コミュニケーションにおいて、相互交流調整（開かれた動き）と自己調整（自分に向かう動き）が不可分であり、互いの調整が過度に一致しないことも大事であるという研究結果は、ＡＳＤのコミュニケーション問題を考える上で重要である。ＡＳＤは自己調整（常同行動など）ばかりが目立ってしまうが、それは相互交流調整をしながら自分と繋がることができないためである。ＡＳＤは、人とのやり取りの中で適度に自分を閉じつつ自分の声を聴くことができないのである。[6]

（2）世界の解像度の違い――「モル的」世界と「分子的」世界

熊谷（國分・熊谷 2020）は、綾屋（2008; 2010）の当事者研究をもとにＡＳＤの体験世界を記述している。ＡＳＤは身体の内側からも外側からも押し寄せてくるさまざまな感覚を切断しまとめ上げる過程に困難を抱えているが、それは世界をあまりに「高解像度」に捉えているためであるという。そしてドゥルーズとガタリの「モル的／分子的」という概念を援用して、異質なものをまとめあげた「モル的」な体験世界を定型発達、異質の要素がバラバラのままの「分子的」な体験世界をＡＳＤの特徴としている。

熊谷の言うＡＳＤの高解像度の分子的な世界は、新生自己感の世界を詳細に観察し意識化した状態だと言えるだろう。國分（國分・熊谷 2020）が空腹感のような意味づけられた体験はモル的であると述べているように、定型発達の世界は、いわば共同体的な意味のフィルターを通して体験されているモル的な世界である。

熊谷（國分・熊谷 2020）は、ＡＳＤのコミュニケーション障害は世界の解像度が多数派と異なるからであり、「世界の解像度が揃っている者同士」であればコミュニケーション可能ではないかという。たしかにＡＳＤが生きているのは、「人」特有の「モル的」な体験世界ではないが、それは必ずしも孤立した世界とは限らない。内海健（2015）が、世界と共振するＡＳＤのあり方を「地続き的な共感 sympathy」と呼ぶように、ＡＳＤは、いわば高解像度の世界の粒としての共同体意識（新生自己感）を生きているのではないだろうか。

自閉的な子どもとのプレイセラピーで子どもの体験世界に沿うように専心していると、不思議と治療者も退行し、「人」としての輪郭が曖昧になってくる。自分をプレイルームの玩具の一つのように感じたり、プレイルームが自分の身体のように感じられたりする。[7] そのような体験世界では、子どもとも不思議な親密さを感じる。いわば、世界の粒としての共同体意識である。筆者は、このような治療者の独特の意識状態を「地べた意識」と呼んでいるが、それは治療者が世界の見方の解像度を、子どもが生きている体験世界にチューニングする試みといってもよいかもしれない。ＡＳＤが人よりも自然や動物や物に対して親密さを示すのは、「人」という「モル的」な存在には応答しづらいが、自然や動物や物からの働きかけには応答しやすいからではないだろうか。「地べた意識」は、治療者が「人」という「モル的」なあり方を一旦括弧に入れて、子どもが応答しやすい「分子的」な存在レベルにチューニングしている状態なのである。

（3）「人」の発生——視線触発について

主体の成立には、乳児期の母子間のやりとりのような原初的な間主観性を生きることが重要である。そのためには人を「人」として体験する必要があるが、それはあまりに自明のこととして見過ごされていることが多い。ワロンの心理学は、子どもには、生理的なレベルですでに人に対して「人」らしく反応する原初的な社会性が備わっていることが前提となっている。スターンの心理学にも、生後二、三カ月を過ぎた頃から個としてのまとまりの感覚（中核自己感）が生じることは記述されているが、その契機については触れられていない。國分・熊谷（2020）は、ＡＳＤの主体の生成しづらさを、予測や図式化の困難さという視点から論じているが、そもそも予測自体が成立するという「ジャンプ」がどのように可能になるかは解明されていないとして、それは人間の経験の「あまりに基本的なところにあるからではないか（國分）」（231）と述べている。

本論は、この「ジャンプ」に関わる概念として、村上靖彦の「視線触発」（2008）に注目する。村上によれば、視線触発とは「視線や呼び声、触れられることなどで働く、相手からこちらへと一直線に向かってくるベクトルの直観的な体験」（vi）であり、自分の身体や他者の存在に気づく契機になるという。誰もいなくても人の気配を感じることがあるように、視線触発は具体的な他者表象によってその都度作動するわけではなく、一度作動すると世界の体験の仕方が変わるような特性を持つという。ＡＳＤは、この視線触発が発動していなかったり、弱かったりする。

視線触発については國分・熊谷（2020）でも言及されているが、熊谷は、視線触発という概念はＡＳＤが他者関係の障害であるという見方につながりかねないと警鐘を鳴らし、ＡＳＤが「他者関係の障害が根本ではない」ことを強調している。ＡＳＤがいわゆる対人関係の障害が根本ではないという考えには筆者も同感である。ただ、上述したように主体の成立と社会性の関係は複雑であり、また視線触発についても筆者の理解は少し異なるので、それを示したい。

視線触発が発動していない状態とは、世界が何かを発するものとそれを受けるものという二つの極に分かれていないことを指していると思われる。ＡＳＤが他者や主体のような「モル的」に切り分けられた世界を生きていないとすれば、視線触発とは「モル的」世界が成立する瞬間を意味しているのではないだろうか。定型発達者がほぼ無自覚に行っている行為（空腹を感じて食事をする、疲れたから休むなど）を、個々の体験において毎回マニュアル操作で行わなければならないＡＳＤは少なくない。視線触発は、主体が立ち上がるという操作が自動的かつ潜在的に作動するプログラムが発動している状態を指しているのではないだろうか。

また、村上（2008）が視線触発後の母子のやり取りを「私と相手へとまだ局在化していない状態」（212）と述べているように、視線触発は自他の成立ではなく、その前段階のやり取りの極としての「二」の発生を、つまり「人」という次元への参入を意味するのではないだろうか。村上は「視線触発の受動性は同時に、相手と相互的な関係にはいるということ、交流することでもある。〔……〕受動性のなかで相互性・応答可能性の回路が生成し、能動性への動機付けとなる」（48）とも述べている。ここには中動態的なニュアンスも感じ取れる。

多くの人は、視線触発の発動が早期母子関係の段階で起こり、作動し続けている。そもそも早期母子関係は、世界に「人」という次元が成立すること自体が課題になっているという意味では、対人関係というよりも対世界関係である。ＡＳＤは、対世界関係（世界をどのように体験するか）に難しさを抱えているのではないだろうか。[8]

＊

（４）自閉的なリズムから間合い遊びへ

ここで小学三年生のＡＳＤ男児のプレイセラピーの一場面を紹介する。

Ａ君は小柄でひょうひょうとした男の子である。初回、治療者の自己紹介に対して「フジマキか」と抑揚のない声で復唱。淡々とボードゲームのコマを進め、どちらが勝っても、これ以上はコマが進めなくなったという意味しか感じていない様子でオートマチックに別のゲームに移る。やり取り自体はスムーズだが、スムーズ過ぎて何の引っかかりもなく、治療者には人と接している感覚が全く起きない。

二回目以降も、廊下で会っても治療者のことは覚えていないようだが、プレイルームに入るとスイッチが入って遊び出す。ゲーム中は機械的にゲームのコマを動かしたり、最低限の会話は成り立つが、ゲームとゲームの合間は問いかけにも反応せず「んんん〜♪　ピピピ……」と独語（機械的な社会性モードと、合間の自閉モード）。

　次第にプレイルームという場になじんでくる。四回目には大きなバランスボールに腹ばいで乗って身を預けて少し甘えた様子。ボールから落ちないよう、床に座った治療者はＡ君が乗ったボールごと抱きとめる。身体は直接触れていないが、ボールの振動を介して互いの動きや重みが増幅して感じられる。治療者は身体感覚レベルのラポールがついたと感じる。互いが場と地続きにつながり、場が脈動し始める。

　六回目は、ロフトの狭い空間に二人で入り込んでボードゲーム。いつもならゲーム中は機械的な社会性モードで応答するＡ君だが、この日は「んんん〜　……行ってらっしゃい！　『行ってらっしゃい』……行ってらっしゃい！　『行ってらっしゃい』……」と普通の声と小声が反復する独語をつぶやき、自閉モードのままゲームを続けている。そのうちに頬を左右交互に膨らませはじめる。右左右左……。狭い空間の中で半ば身体をくっつけるようにして見ていた治療者は、次第にＡ君の頬の動きのリズムに引き込まれていく。右左右左……。そして治療者は半ば無意識的に、次に膨らむタイミングに合わせてＡ君の頬をつつく。「プッ」という破裂音と共に頬が凹み、Ａ君は嬉しそうに大笑い。そこからは、右に左に頬を膨らませて治療者の動きを誘ったりかわしたりする乳児期のような濃密な間合い遊びに転じる。

　この回の後から、《かつてＡ君の独語だった何か》に一緒に入り込んだかのように、二人で、掛け合いで滅茶苦茶な歌を歌いながら遊ぶなど、プレイフルな展開になっていく。

Ａ君は、人とやり取りをする機械的な社会性モードと合間の自閉モード、つまり外に向かう動きと自分とつながる動きがバラバラの状態であった。このセラピーでは、Ａ君の自閉モードに治療者がチューニングしていった結果、Ａ君の頬の動きの自閉的なリズムを治療者が思いがけず共有したことで逆説的に自閉が破られる(9)。

＊

自閉的な常同行動と原初的な間主観性の遊びは、正反対の事象のようであるが、一続きにつながった世界の内側に生じている脈動のような動きという意味では共通している。後から気づいたことであるが、六回目のセッションでは、Ａ君の独語は二つの異なる質の声が呼応し、頬の動きも左右のリズミカルな反復である。すでにＡ君の中に呼応する「二」の動きが生じていたのかもしれない。そしてプレイルームや狭いロフトという器の中に二人で入ったことで、常同行動という遊びにならない遊びが二者間の濃密な遊びに転じたのである。

この「ジャンプ」が生じた契機が視線触発である。視線触発の発動には、守られた状況の中で生じる限りなく他者性の少ない他者からの働きかけが有効であるように思われる。大人が通常のコミュニケーション様式で関わる限り、重度のＡＳＤは反応ができず、Ａ君のようにある程度の社会的スキルを形として身につけているＡＳＤは、人という「物」に対処する機械的なコミュニケーションで対応するだけで、本当の意味で出会うことは困難である。熊谷が「世界の解像度が揃っている者同士」と述べているように、同じ地平にいる者同士でないと、そこに本当の意味での接触は起こらないだろう。しかしそれと同時に、新生児が二人いても、そこに関わる大人がいなかったら、新生児同士が人間らしい関わりができるようにはならないように、そこでは同質性と同時に微細な非対称性も重要な役割を果たす。大人の発達障害の場合にも、田中康裕（2010）は治療者が同じ子宮内の双子のような同質の存在として子宮の外側に「蹴り出す」ような働きかけが有効であると述べているが、子どもの発達障害の場合は、未だ主体の生成過程の途上にいるという意味で、よりセンシティブな働きかけが必要になる。

繊細かつ大胆という矛盾した働きかけを実現する上で、遊びという要素も重要であるように思われる。早期母子関係のやり取りも、このプレイセラピー事例でも、遊びが成立することも主体生成の契機となっている。ガダマー（Gadamer 1960〔1986〕）は「遊ぶということの最も根源的な意味は中動的意味」（149）と述べ、遊びにおいては主体が確定できないと指摘している。子どものいる世界に参入する上でも、主体の生成過程という意味でも、遊ぶという中動態的な活動は適しているのではないだろうか。思わず頬をついてしまうというハプニングが「人」という次元への飛躍をもたらしたように、遊びの中では、治療者が思いがけない場の流れに「使われる」ような緩みが生まれるのである。

おわりに

臨床心理学は、これまで中村雄二郎の「臨床の知」(1992)を通して、心理療法の専門性について語ることが多かった。「臨床の知」は「科学の知」のオルタナティブとして対象との相互的・個別的な関わりの中で行う実践を捉えたもので、「科学の知」の普遍性・論理性・客観性に対して、コスモロジー(固有世界)・シンボリズム(事物の多義性)・パフォーマンス(身体性をそなえた行為)を特徴としている。中村はパフォーマンスについて、「働きかけを受けつつおこなう働きかけ、つまり受動的な能動」(9)であるといい、「臨床の知」を「パトスの知」(10)とも言い換えていることから、「臨床の知」という概念で中村が考えていたことは、中動態的な性質を持っていたと考えられる。[10] 人間科学諸領域での中動態への関心の高さが、これまで言語化しにくかった事象に光を当て、異なる分野間で、多様な知のあり方が共有されることに期待したい。

【註】

（1） 認知行動療法のように具体的な問題解決を目指す心理療法もあるが、本論は、精神力動的な観点からクライエントがよりよく生きることを支援する狭義の心理療法について論じる。

（2） バンヴェニストの中動態定義については、本書で小野文が詳細に論じている。その中で小野は、過程（procès）が動的な概念であることに注目し、バンヴェニストの中動態定義における「内／外」などのトポロジックな用語は図式的に捉えるべきでなく、作用や影響がはたらいているという力動的な意味として捉えるべきであると指摘している。

（3） 國分（國分・熊谷 2020: 221）

（4） 本論では発達障害を自閉スペクトラム症とほぼ同義で使用している。

（5） 「人」という相互的な関わりの次元への参入は、ＡＳＤを理解する上で大変重要である。アタッチメントといってもよいかも知れないが、アタッチメントは情緒的なニュアンスを帯びた概念のため論点がずれてしまいやすい。ギーゲリッヒの三つの誕生（生物学的誕生・心的誕生・心理学的誕生）という概念の「心的誕生」が、ここでいう「人」という相互的な関わりの次元への参入に相当する。詳しくは藤巻（2020a）を参照。

（6） 大人のＡＳＤで、職場等で過剰適応の末、身体症状やうつ状態を呈する人は少なくない。それは、人と関わる場面など外からの情報を取り入れる時には、身体感覚や感情など自分の内側からのインプットが途絶えてしまうためではないかと思われる。

（7） 大久保（2013）は、ＡＳＤ児とのプレイセラピー中の自身の意識体験を次のように描写している。「（治療者は）プレイ中独特の感覚を味わっていた。あえて言葉にするなら、《私はフラフープ、私は積み木、私は山、私はレール、私は電車、私は私、私はＫ［クライエントの名］、私は床、私は部屋、私は音、私はバラバラのものの集まりの核であり、バラバラのものの一つ一つであり、私でもなく、自他の境界だけでなく自分と物や取り巻く環境との境界がない渾然一体のようで、全ての中にフワフワと私という意識が浮遊もしくは点在している》と

いう不思議な感覚であった。」(96-97)

（8） Beebeらの早期母子関係の間主観性理論は、相互交流におけるパターンの予測と同期のプロセスであり、それは世界からの働きかけということが起こりうるのだという潜在的な予測（視線触発）があって、初めて可能になると思われる。

（9） A君の自閉が破られると同時に、二人で一つの卵の中に入ったかのような関係になる。その後の経過の詳細については藤巻（2020a）を参照。

（10） 國分（2017: 53-60）は、パトスは受動態ではなく中動態を表わしていたという説を紹介している。

【文献一覧】

Barthes, R. (1966). « Ectire, verbe intransit? », *Le bruissement de la langue*. Paris: Seuil, 1984.〔ロラン・バルト（1987）『言語のざわめき』、花輪光訳、みすず書房〕

Beebe, B. & Lachmann, F. (2002). *Infant Research and Adult Treatment: Co-constructing Interactions*. NJ: The Analytic Press.〔『乳児研究と成人の精神分析——共構築され続ける相互交流の理論』、富樫公一監訳、誠信書房、二〇〇八年〕

Beebe, B., Knoblauch, S., Rustin, J., and Sorter, D. (2005). *Forms of Intersubjectivity in Infant Research and Adult Treatment*. London: Other Press.〔『乳児研究から大人の精神療法へ——間主観性さまざま』、丸田俊彦監訳、岩崎学術出版社、二〇〇八年〕

Benveniste, E. (1966). *Problèmes de Linguistique Générale*. Paris: Gallimard.〔エミール・バンヴェニスト（1983）『一般言語学の諸問題』、岸本道夫監訳、みすず書房〕

Gadamer. (1960). *Wahrheit und Methode*, Gesammelte Werke Band 1, Tübingen: J.C.B. Mohr (Paul Siebeck)〔ガダマー（1986）『真理と方法Ⅰ』、轡田収他訳、法政大学出版局、一九八六年〕

Giegerich, W.（2001）. *Working with dreams: Introductory comments*.（日本で行われた講演）〔ギーゲリッヒ（2001）「夢と

の取り組み」、河合俊雄編・監訳『神話と意識』、日本評論社〕

Giegerich, W.（2020）. *What Are the Factors That Heal?* London: Dusk Owl Books.

Jung, C. G.（1929）. « Die Probleme der Modern Psychotherapie ». *Schweizerischen Medizinischen Jahrbuch; Seelenproblem der Gegenwart*, 5. Aufl. 1950.〔カール・グスタフ・ユング（2018）「現代の心理療法の問題」『心理療法の実践』、横山博監訳、みすず書房〕

Lacan, J. (1981). *Le Séminaire III*. Paris: Seuil.〔ジャック・ラカン（1987）『精神病』小出浩之ほか訳、岩波書店〕

Stern, D. N. (1985). *The Interpersonal World of the Infant: A View from Psychoanalysis and Developmental Psychology*. New York: Basic Books.〔『乳児の対人世界』、小此木啓吾・丸田俊彦監訳、岩波学術出版社、一九八九年〕

Sullivan, H. S.（1954）. *The Psychiatric Interview*. New York: W. W. Norton & Company Inc.〔『精神医学的面接』、中井久夫ほか訳、みすず書房、一九八六年〕

Wallon, H. (1946). « Le rôle de « l'autre » dans la conscience du « moi » », *Journal Egyptien de Psychologie*, Vol. 2, n°1.〔「「自我」意識のなかで「他者」はどういう役割をはたしているか」、『ワロン／身体・自我・社会』、浜田寿美男編訳著、ミネルヴァ書房、一九八三年、五二―七二頁〕

Wallon, H. (1956). « Niveaux et fluctuations du moi », *L'Evolution psychiatrique*. I.〔「自我の水準とその変動」、『ワロン／身体・自我・社会』、浜田寿美男編訳著、ミネルヴァ書房、一九八三年、二三―五一頁〕

綾屋紗月・熊谷晋一郎（2008）『発達障害当事者研究――ゆっくりていねいにつながりたい』、医学書院。

綾屋紗月（2010）「つながらない身体のさびしさ」、綾屋紗月・熊谷晋一郎『つながりの作法――同じでもなく違うでもなく』NHK出版、一四―四二頁。

氏原寛（2002）『カウンセラーは何をするのか――その能動性と受動性』、創元社。

内海健（2015）『自閉症スペクトラムの精神病理――星をつぐ人たちのために』、医学書院。

大久保もえ子（2013）「言葉の遅れを主訴とする軽度自閉傾向の幼児期男児とのプレイセラピー」、河合俊雄編著『ユング派心理療法』、ミネルヴァ書房、九三―一〇八頁。

加藤義信・日下正一・足立自朗・亀谷和史（編著訳）（1996）『ピアジェ×ワロン論争――発達するとはどういうことか』、ミネルヴァ書房。

河合隼雄（1967）『ユング心理学入門』、培風館。

河合隼雄（1986）『心理療法論考』、新曜社。

河合隼雄（1992）『心理療法序説』、岩波書店。

河合隼雄（1996）『村上春樹、河合隼雄に会いにいく』、岩波書店。

河合俊雄・田中康裕・竹中菜苗・畑中千紘（2010）『発達障害への心理療法的アプローチ』、創元社。

熊谷晋一郎・國分功一郎（2017）「対談　来るべき当事者研究――当事者研究の未来と中動態の世界　みんなの当事者研究」、『臨床心理学』増刊号第九号、一二―三四頁。

桑原知子（2010）『カウンセリングで何がおこっているのか――動詞でひもとく心理臨床』、日本評論社。

國分功一郎（2017）『中動態の世界――意志と責任の考古学』、医学書院。

國分功一郎・斎藤環（2019）「オープンダイアローグと中動態の世界」、『精神看護』二〇一九年一月号、五―二九頁。

國分功一郎・熊谷晋一郎（2020）『〈責任〉の生成――中動態と当事者研究』、新曜社。

田中康裕（2010）「大人の発達障害への心理療法的アプローチ――発達障害は張り子の羊の夢を見るか?」、河合俊雄編『発達障害への心理療法的アプローチ』、創元社、八〇―一〇四頁。

中村雄二郎（1992）『臨床の知とは何か』、岩波新書。

藤巻るり（2020a）『発達障害児のプレイセラピー――未分化な体験世界への共感からはじまるセラピー』、創元社。

藤巻るり（2020b）「セラピストの当事者性――プロセスへのコミットメント」、山王教育研究所編『セラピストの主体性とコミットメント――心理臨床の基底部で動くもの』、創元社、一八三―二〇〇頁。

村上靖彦（2008）『自閉症の現象学』、勁草書房。

村瀬嘉代子（2020）「問う力・聴く力を涵養する――能動性を内包する受動性／理論と技法を支えるジェネラルアーツ」、『臨床心理学』一一八、第二〇巻四号、三七九―三八四頁。

森田亜紀（2013）『芸術の中動態――受容／制作の基層』、萌書房。

山中康裕（1976）「早期幼児自閉症の分裂病論およびその治療論への試み」、笠原嘉編『分裂病の精神病理5』、東京大学出版会、一四七―一九二頁。

思い出しながら語る、語りながら思い出す

——マルセル・バイアー『カルテンブルク』における中動態らしきもの

粂田文

マルセル・バイアーの小説『カルテンブルク』（二〇〇八）は、現代ドイツ文学における想起の文学の一端を担う作品である。近年、ドイツにおける想起の文学は、家族史や自伝的な回想を通してドイツの負の過去と向き合うものが特徴的だが、一九六五年生まれのバイアーの場合、自身の体験やその記憶に頼ることはできない。したがって『カルテンブルク』は、まさしく作者の入念な取材や資料調査への情熱と文学的想像力の賜物であり、ドイツの過去を記述するための新たな言語表現の可能性を探りつつ、個人や集団の想起の仕組みを文学的に検証する作品となっている[1]。

二十世紀のドイツ史を射程に入れながら、二十一世紀ゼロ年代のドレスデンを舞台に、引退した鳥類学者ヘルマン・フンクの回想を通して浮かびあがる子供時代の豊かなイメージや、それを詩的に補強する鳥類学の知がこの小説の魅力である。テキストは登場人物の想起の流れにふさわしい複

雑怪奇な文様を織りなす。なかなか秘密をあかそうとせず、読み手の思考や記憶力を試すような作者の書き方に読者は苛立ちをおぼえるかもしれない。しかし、人間の忘却と記憶の生理というのはそうでもしないと語れないということなのだろう。

バイアーの茫漠としたテキストを読み解く手がかりとなるのがエミール・バンヴェニストによって定義される中動態である。中動態という文法概念を思考や文学の領域にどこまで援用できるかは議論の余地があるが、『カルテンブルク』では、思い出しながら語り、語りながら思い出すという、フンクによる一人称の語りのなかに中動態らしきものの位相が浮かびあがる。ひょっとすると「中動態では、動詞は、主辞がその過程の座であるような過程を示し、主辞の表わすその主体は、この過程の内部にある」、「主辞は、まさしくみずからがその動作者である過程の内部にいる[2]」と説明されるこの文法上の態には、過去の体験と現在が感応しあう場をきりひらく可能性が秘められているのではないか。本論は、バンヴェニストによる中動態の定義を敷衍しつつ、テキストを丁寧に読み進めながら、この小説において展開される想起の営みと中動態らしきもののかかわりをあぶり出す試みである。

1　『カルテンブルク』における想起の営み——中動態らしきもの

ドイツ語の文法には中動態という用語や概念は存在しない。しかし、ゲルマン語派の歴史的変遷をたどる歴史比較文法研究では、中動態という態が存在していた時代の印欧諸語の状況を検討したうえで、ゲルマン語派では一般に中動態的な意味を表現する場合に再帰的文構造が用いられていたと考えられている。例えば興味深いことに、四世紀、ゴート人の司教ウルフィラ（Wulfila）は、ギリシャ語の聖書における中動態の文をゴート語に翻訳するさいに、たいてい再帰的表現を用いていたという。[3]

ドイツ語で「想起する」を意味する動詞は sich erinnern という再帰的な構造をとる。erinnern は「想起させる」という意味の他動詞、sich は再帰代名詞である。主語が ich〔私〕の場合、ich erinnere mich〔私は想起する〕となる。しかし、ich erinnere mich を日本語に訳すとき、文脈によっては「おぼえている」という訳語を与えることがある。「私はおぼえている」ということは、「私」にその記憶が保存されている、書き込まれているということである。『カルテンブルク』では、一人称の語り手が対話者にうながされ子供時代を回想する。主人公の「私」が思い出しながら語り、語りながら思い出すことを繰り返すなかで、「私」の過去が書き出され、書き換えられていく。こうした想起の営みは、同時に現在の「私」にも影響を及ぼし、過去に対する認識に変化を生じさせるのみならず、「私」のアイデンティティにも揺さぶりをかける。つまり、想起の営みを通じて、そのつど「私」もまた書き換えられていくということなのだ。このとき、想起する「私」は、想起という動作の場となり、その影響を受けることになる。主辞が動作主であると同時に動作の過程の座となり、動作の影響を受けるという図式は、先ほど紹介したバンヴェニストによる中動態の定義に通じるものであり、ドイツ語において「想起する」という動作が再帰表現となることにも納得がいく。

バイアーはエッセイ「歴史家の頭のなかにいるあの野生動物」において、ich erinnere mich という文と主体の関係について次のように述べている。

何かが私に別の何かを想起させる〔etwas erinnert mich an etwas anders〕。別の何かとは私の経験の埒外にあってもいい。これに対して、「私は想起する〔ich erinnere mich〕」とは、私によって裏づけられる自身の経験を示唆するものであり、同時にこの一文で主体としての私がたちあがる。記憶のなかの私に呼びかけて、私を呼びさますのである。(4)

ich erinnere mich という一文でもって主体としての「私」が構築されるということは、この言葉を発する以前に主体としての「私」は存在しないと理解できる。ich erinnere mich と言うことで「私」がたちあがり、想起される過去は「私」によって保証される。一方、同エッセイでは「私は想起する〔ich erinnere mich〕、つまり私は想起させられる〔ich werde erinnert〕ということ」(5)とも述べられている。動詞 erinnern の態のバリエーションにおいて、再帰的構造を持つ能動文 ich erinnere mich と受動文 ich werde erinnert が等価に置かれていることから、erinnern という動作に対する「私」の立ち位置が明らかになる。つまり、バイアーの理解では「想起する」という行為に先立つ主体としての「私」は存在せず、必ずしも「私」の意志で想起という行為が始まるわけでもなく、想起は主語である「私」の影響を超えたところで営まれる行為ということになる。
『カルテンブルク』は、バイアーが考えるこうした「想起」の営みを文学テキストとして実践するものである。なにげない会話をきっかけに「私」の回想が始まり、「私」は回想から生まれるイメージや言葉に引きずられ、その意識はおもいがけない方向に向かう。思い出しながら語り、語りながら思い出すという行為を通して、「私」の記憶は絶えず修正され、書き換えられていく。思い出しながら語る「私」は想起という動作の影響下にあるため、語り出される過去のイメージをたやすく支配できない。

中動態において、主辞が動詞によって示される過程の外にあるか内にあるかが問題になるとすれば、『カルテンブルク』における想起は、第一に、想起する主辞が動作の過程の内にあり、その動作の影響を主辞も受ける、第二に想起する主辞と想起される対象の境界が揺らいでいるということから、中動態で表現される動作を表していると考えられる。ドイツ語には、動詞 erinnern の他にも想起を表現するための言葉はいろいろとあるが、本論では、erinnern を使って表現される想起に限定せず、想起の仕組みや記憶の生理そのものを扱い、テキストの語りを分析するさいに中動態の思考モデルを隠喩的に援用する。

2 鳥の名前

災厄の記憶を継承すること、出来事の歴史化に抗いながらその体験をどう語り継いでいくかということを考える文学作品はめずらしくない。そこでは、体験していない出来事を書くことの正当性や当事者性の問題が大きな壁となってたちはだかる。みずから体験していない災厄の記憶を物語ることは、自身の言葉で他者の経験を語りの首尾一貫性のなかに押し込んで支配することにならないか。こうした言語化により純粋な経験そのものが奪われることにはならないか。非当事者である作者がその体験に関与し体験を共有するような書き方とはどのようなものなのか。戦争を体験していない第三世代のマルセル・バイアーはこうしたテーマに真正面から取り組む作家である。

『カルテンブルク』の語り手は七十一歳の鳥類学者ヘルマン・フンクである。フンクは十一歳のときにドレスデン大空襲に遭い両親を失う。孤児となったフンクの恩師となるのが本書のタイトルにもなっている動物学者ルートヴィヒ・カルテンブルクである。[6] 若い通訳カタリーナ・フィッシャーとの出会いをきっかけに、一人称の語り手である老フンクの回想が始まる。フンクの回想は、自分自身や通訳、そして記憶のなかの仲間や両親やカルテンブルクとの対話からなる。こうした対話を通して、フンクが幼年期に暮らしたナチス占領時代のポーゼン（現ポーランド領ポズナン）や、戦中戦後のドレスデンが想起され、両親やカルテンブルクや仲間たちと過ごした時間がよみがえる。

カルテンブルクとナチスの疑惑の協力関係、ソ連軍捕虜収容所時代のカルテンブルク、実父が家で世話をしていた鳥たち、突然いなくなった子守女のこと——謎解きをうながすように、特定の出来事の周辺をぐるぐるまわりながらテキストの世界に巧みに読み手を取り込む手法はバイアーならではのものだ。

フンクは、仕事上の必要に迫られたフィッシャーからドレスデンの鳥類相やそれを説明するさいに必要となる英語の用語をレクチャーしてほしいと依頼される。そこで二人は、フンクのかつての職場である動物学博物館の鳥類部門で落ち合う。

> わたしは言う、カルデュエリス・カルデュエリス〔Carduelis carduelis〕、彼女が書き留められるようにゆっくりと、わたしは言う、カルデュエリス・クロリス〔Carduelis chloris〕、しだいに彼女の表が埋まる、カルデュエリス・スピヌス〔Carduelis spinus〕、とわたしは言った。鳥の名前。ゴシキヒワ、アオカワラヒワ、マヒワ。〔……〕「あなたは生粋のドレスデンっ子ではありませんね」と、フィシャーは挨拶するなりおそるおそるきいてきた。二言三言聞けばたいていイントネーションからその人の出身がわかるのに、わたしの場合、判断がつかないと言う。彼女は、リュックサックから鉛筆とノートを取り出しながら「東西南北すらわかりません」と言って、用意された鳥たちに最初の視線を向けた。
> (22ff.)

フンクとフィッシャーは、鳥の剥製を見ながら、その鳥たちのラテン語学名、ドイツ語名、英語名を確認していく。ドレスデン出身でないことをフィッシャーに見抜かれ、フンクの想起のスイッチが入る場面である。ここで想起のきっかけを作るのは通訳だが、同時に、この鳥たちによってもさまざまな記憶が呼び起こされることになる。

「ゴールドフィンチというのは、頭が真黄色で、お腹の下の方も黄色いこの鳥のことですか?」
いいえ。それはキアオジです、エンベリザ・キトリネッラ〔Emberiza citrinella〕です。キトリネッラ、レモン色、これはおぼえやすいはずです。ゴールドフィンチはシュティーグリッツ〔Stieglitz. 以下「ゴシキヒワ」は「シュティーグリッツ」と記す〕です。名前の語尾からスラブ語源であることがわかりますが、鳴き声をまねてついた名前だと言われています。だからドイツ語古来の呼び名であるディステルフィンク〔Distelfink〕に引けをとらないくらい、こちらの呼び方も普及したのでしょう。まさに、翻訳者鳥〔Übersetzervogel〕ですね。〔……〕シュティーグリッツはカラフルなので目立ちます。顔には赤いマスク、後頭部にかけて白から黒になり、背中は茶色で、尾羽の付け根あたりでふたたび白くなり、尾羽は黒。そして羽根は——黄色つまり金色の帯が入っていますが——黒いです。(72f.)

六十年以上ドレスデンで暮らしているにもかかわらず、フンクのドイツ語には当地の訛りが染みついていない。「ゴシキヒワ」こと「シュティーグリッツ」という鳥の名前から「翻訳者鳥」という言葉が引き出され、言語とルーツの関係へと思考が開かれる。フンクは、ザクセン方言になじまない自身のドイツ語を「漂白された標準ドイツ語は両親から、暗い響きは自分が暮らすこの界隈から」きていると説明し、「こういう人間は、あいつが話しているのはシュティーグリッツ語だと言われる、いろんなお国訛りが少しずつまざり合っているということだ」と言って、孤児や故郷喪失者としての身上を示唆する。フンクにとってシュティーグリッツは「ドレスデンの椿事」(115)だった。そして、鳥類学者になった理由をフィッシャーに問われ、その理由を探ろうと過去をふりかえるとき、フンクの脳裡に鳥をめぐる子供時代のトラウマ体験がよみがえる。

記憶のなかでその鳥はしだいにアマツバメの姿を呈するようになる――たとえわたしのなかの鳥類学者がこのように言ったとしてもだ。アマツバメが開いた扉から家のなかに飛び込んでくることはないだろう、あの鳥の飛行速度では壁に頭をぶつけてしまうし、たとえ実際に生きのびたとしても、ふたたび床から飛び立ってカーテンの陰に隠れるなんて絶対にできやしない。(40f.)

ポーゼン時代、両親の留守中に、自宅の応接室に迷い込んできたアマツバメと少年フンクのあいだに何かあったようだが、読み手にその詳細が明かされることはない。読者は、「流れた血」、「マリア」(29)、「ズボンの黒い染み」(42)、「かわいそうに」「素手で」「私たちの息子が」「両眼」(43)という母親の言葉の切れ端やフンクの断片的な記憶のイメージから、その出来事を想像するしかない。ここでは、少年フンクが目にした光景、老フンクの記憶のなかに浮かびあがるイメージ、そして鳥類学者フンクの科学の知がせめぎあう。鳥類学的にはありえないような出来事にもかかわらず、老フンクがこの記憶を完全に否定しないところは注目に値する。アマツバメの記憶は、やがて姿を消す子守女の非難がましい沈黙の記憶へと結びつけられる。

わたしは黙ってもぐもぐ食べていた。子守女は沈黙していた。あたかも、わたしがアマツバメの絶滅に寄与したかのようだった。わたしがその前日にこの鳥の種を地上から永遠に消滅させるための、取り返しのつかない最後の一撃を加えたかのようだった。その最後の生きている個体の不幸がわたしのせいであるかのようだった。(47)

老フンクは、アマツバメ事件の翌朝のことをこのように回想している。マリアが意気消沈した表情でフンクの朝食の世話をしている。フンクの目には絨毯の上に転がる鳥の姿が焼きついているが、住み込みで働いていたらしきマリアという名前の子守女が、その後、いつ、どのようにして姿を消したのか、はっきりとはわからない。一羽の鳥がどうやら命を落とし、フンクの母親が自分の息子を一人にさせたマリアを叱責したからといって、そうした文脈で「アマツバメの絶滅に寄与したかのよう」「この鳥の種を地上から永遠に消滅させる」という言葉は唐突すぎる。子供がそのときに受けた印象とはとうてい考えられないし、少年フンクにこのような語彙が備わっていたとしても、その言葉の意味を正確に理解するには幼すぎる。幼いフンクが見たであろうマリアの悲しげな顔から非難がましい表情を読み取っているのは、数十年の時を経て当時を想起する老フンクである。アマツバメのエピソードから明らかなのは、年を重ねたフンクが自身の記憶のなかのイメージに意味づけを与えようとしていることだけだ。しかし『カルテンブルク』では記憶の欠落部分が満たされることはないので、語り手であるフンクもわれわれ読者も、アマツバメの一件をストーリーのある物語として再構成することができない。

アマツバメがポーゼン時代のトラウマを象徴するものだとすれば、鳥をめぐるもう一つのトラウマ体験はドレスデンの記憶に結びついている。

あの物体、モノ、かたまりが鳥をぞっとするものに変えたのだ。暗がりだったのでそれが鳥だとは自分でもよくわからなかった。正体が判明したのは、ふたたび太陽が昇りしばらくしてからのことだ。太陽といってもぼんやり光るだけで、たいていは、地平線いっぱいに天高くたちこめる、黒灰色の煙の雲にかくれてほとんど見えなかったのだが。

夜、公園をさまよっていたらいきなり何かがはげしく肩にぶつかってきた。近くには誰もいなかった。拳骨で殴られたわけでもなく、背後から動物が触れてきたのでもなく、地面に散乱する枝が空中を旋回していたわけでもない。同時に、鈍い確かな音がした。その物体は落下するとさらに地面の上を転がった。見るとそれは黒かった。触るとべたべたしてやわらかい。表面は毛羽だっていた。わたしはそのかたまりを目のまえにかざした。タール塊、ただの燃えがらか。それを鼻先に近づけた――だが、おもわず、おもいっきりそれを遠くに放り投げた。焼け焦げた肉のにおいが鼻をついたのだった。

次なる衝撃、今度は頭にあたった。わたしは走り出した。木々や陥没した地面のあいだを抜け、木のまばらな場所に集まった人混みをかきわけて走った。けれど、走れば走るほど自分のおかれた状況が絶望的なものに思われた。どこにいってもこの燃えるかたまりが落ちてきた。そして、横倒しになった巨大なオークの根っこの下や焼け残った壁のかげにかくれて一息つけると思ったときでさえ、周りのあちこちでそれが地面にぶつかる音が聞こえた。まるで、自分に迫ってくるかのようだった、死んで空から落ちてくる鳥たちに囲まれているかのようだった。

（104f.）

一九四五年二月のドレスデン大空襲での出来事である。少年フンクは自分にぶつかってくる「かたまり」の正体を視覚、触覚、嗅覚、聴覚をはたらかせて見きわめようとするが、出来事の最中にはその実態はつかめず、ただ不気味なものでしかない。「まるで、自分に迫ってくるかのようであった、死んで空から落ちてくる鳥たちに囲まれているかのようだった」という比喩表現として接続法二式が用いられているほか、引用冒頭で「暗かったのでそれが鳥だったのか自分でもよくわからなかった」と述べられていることから、この時点で少年フンクは落下してくるものが鳥であることを認識していたとは考えがたい。

このあと続けて、個別に鳥たちの様子が伝えられる。燃えさかる木の巣穴から逃げ出してきたキツツキ、羽根に燃えうつった炎を消そうと空中でパニックに陥るモリフクロウ、逃げ場を求めて空を飛ぶ最中に体に火がついたモリバトなど、炎から逃げまどう鳥たちの様子が詳らかに語り出される。さらにフンクの語りは続く。

そこでハシビロカモとコガモを、ヒドリガモとキンクロハジロを、あるいはホオジロガモとホシハジロをどうやって区別しろというんだ、水上で十把一絡げに焼けたというのに。大庭園でたくさんの動物があっさり消えてしまったとしてもおかしくない。もちろんカラスも。木の上で眠っていたハイイロガラスやミヤマガラスやハシボソガラスの大きな群れ。アトリも何羽かそのなかに紛れこんでいたかもしれない。そしてレンジャクたち、真冬に北方からやってきて、期待はずれもいいことに、この夜、焼かれてしまったのだ。（106）

少年フンクが大空襲の夜に知覚できたのは暗闇と得体の知れない「かたまり」だった。これに対して、鳥類学者のフンクが、想像力を働かせ、鳥類学の知をいかし、鳥の名前をあげて子供時代のトラウマ的な記憶に確固たる輪郭を与えようとするのである。しかし、いっぺんに焼け死んだカモをどう区別すればいいのだと、凄惨な出来事を詳らかに言語化することの限界につきあたっている。

落下する「かたまり」が、炎から逃げまどう個々の鳥へとイメージを変化させるのにともない、「私」の視線は少年フンクから鳥類学者フンクの視線にすりかわっている。読み手は強烈なイメージに呑みこまれ、少年フンクが暗闇のなかで個々の鳥を認識しその最後を目撃していたかのような錯覚に陥るかもしれない。しかし実際のところ、フンクは鳥たちの最期をはっきりと目撃したわけではなく、真相はわからない。この空襲時の描写はあくまでも「おそらくこうであったであろう」という可能性のイメージである。『カルテンブルク』では、このようにして読み手もまた一人称の語り手による想起と創作、捏造、改変の営みに巻き込まれるのだ。

空襲の夜の記憶では、少年フンクの記憶に焼きついた光景と老フンクが当時を想像しながら語り出すイメージがせめぎあっている。一人称の語り手は想起する主体であるが、想起する老フンクと想起される少年フンクのまなざしが影響しあい、そのせめぎあいから立ちあらわれるイメージを読み手は受容しているのだ。

ちなみに、老フンクは明示的に空襲について語ったわけではない。あくまでも、フィッシャーの問いに応答するかたちでトラウマとなった鳥の話をしたにすぎない。しかし、少しでも世界史やドイツ史をかじった読み手であれば、このシーンをドレスデン大空襲という歴史的事件を伝える証言として読むだろう。フンクは語りながら、意図せずして、歴史的出来事の証言者という立場に押し出される。そのため、彼の鳥をめぐるドレスデンでのトラウマ体験は、ドイツ人が被った犠牲を物語ることの可能性や不可能性にも光をあてるものとなっている。[7]

W・G・ゼーバルトは「空襲と文学」と題された講義録のなかで、戦後のドイツ文学は、「なまのかたちでは描写を拒む現実」を超越的つまり形而上学的な意味づけを与えて神話化しようとするあまり「従来の美学では捉えきれない素材」としての空襲をきちんと語りきれていないと批判している。[8]『カルテンブルク』は、ゼーバルトの批判に対するバイアーの応答として読むことができるだろう。バイアーのテクストは、歴史的現実としての空襲の残虐性や恐怖について直接語ることなしに、ドイツ人の犠牲を鳥とのアナロジーや視点のずらしを用いて連想させることで、空襲の神話化や形而上学的な意味づけとは無縁なものとなっている。さらには、一人称の語り手に「おそらく」「かもしれない」「〜だろう」「〜のように見える」「あたかも〜のように」といった推量、比喩、婉曲、さらには「もしわたしの記憶が正ければ」(107)といった仮定表現を濫用させ、断定を避けて語る傾向がある。定かならざる記憶に誠実に向き合おうとすれば、こうした表現は避けられないのかもしれない。しかし、こうしたずらしや不確かな語りは、歴史的災厄を体験していない世代に属するバイアーならではの対象との距離の取り方ではないか。体験者としてのフンクにあいまいな表現をさせることで、バイアーは自ら体験していない出来事を自身の言語で支配することからかろうじて逃れている。

フンクにとって「シュティーグリッツ」が故郷喪失者の象徴であり、「ドレスデンの椿事」であることは先にも述べた通りだ。ドレスデンでのフンクとシュティーグリッツの出会いはこのように語られる。

3　集合的記憶の残像

いや、当時わたしたちにはその一帯が死んでいるようには見えなかった。わたしはひとりでも歩きまわった。双眼鏡を首からぶらさげて、より近くから、あるいは、もう一度あらためてとでも言うべきか、ハシグロヒタキ、カンムリヒバリ、タヒバリ、コチドリ、ハイタカ、ムネアカヒワを知るようになった。もっとも植物の分類については、もう二度と両親と暮らした家の裏の土手でのようにはいかなかった。クジラグサ、トゲチシャ、アオゲイトウ——これらの名前はわたしから失われていなかった。授業では人里植物の三区分を教わった。ヨモギギク、アザミ、ヒヨスは何かわたしに伝えるべきことがあったはずだ。しかし、わたしがこの空地を探索しているとき、双眼鏡は様々な形をした色とりどりの大小の草花、雑草をいくらか見せてくれるだけだった。そして羽根の黄色い帯と頭部の赤い斑、白い頬、象牙色のシュティーグリッツの嘴が視界に入ると、わたしはまず動きを止めたものだ。（151f.）

終戦直後、幼いフンクはひとりでドレスデンの人気のない瓦礫のなかを徘徊する。そのとき、双眼鏡のレンズがシュティーグリッツの姿をとらえる。「アザミ〔Distel〕」の生える瓦礫の丘を歩いた記憶を、老フンクは「アザミとともにシュティーグリッツはこの町にやってきた」(116)と語る。「シュティーグリッツ」に「ディステルフィンク〔Distelfink〕」というドイツ語古来の別名があること、そして「アトリ」を意味する「フィンク〔Fink〕」と「フンク〔Funk〕」の音の類似から、「ディスティルフィンク」こと「シュティーグリッツ」に少年フンクが重ねられていると考えられないか。

ここでは、老フンクの記憶のなかに双眼鏡を持った少年フンクの姿が浮かび、この記憶のなかの少年フンクは瓦礫の丘を眺めているのだが、そのさいに入れ子状になった過去のイメージが複数の時間を浮かびあがらせている。つまり、瓦礫の丘にレンズを向けた双眼鏡の焦点調節に合わせて、現在と過去の距離もまた近づいたり離れたりするのだ。[9] ドレスデンに来たばかりの少年が、そこに生息する鳥を個別に認識できたとは考えにくいので、鳥の名前はおそらく鳥類学者フンクの知見に拠るものだろう。そして、植物の名前は、ポーゼンで植物学者だった父との散歩の記憶に接続される。植物の名前をおぼえていても対象を同定できず、双眼鏡は様々な草花や雑草をとらえるが、ただそれだけである。植物学の知の欠如が父の不在を際立たせる。双眼鏡が切り取るのは、少年フンクが歩いている瓦礫と化したドレスデンの風景のはずだが、一方で、この切り取られて拡大された風景に父との散歩の残像が浮かび上がるのだ。
この引用の六十頁ほど前に次のような記述があったことを思い出して、頁をさかのぼって読み返す読者はどれほどいるだろうか。

シロザモドキ、シロザ、セイヨウハマアカザ、アオゲイトウ、イヌホオズキ、ノゲシ。ぜんぶ父が散歩のときに教えてくれた。わたしはこれらの名前をそらんじることができる、けれどどうせすぐにまた忘れてしまっただろう。クサチハマアカザ、クジラグサ、ロボウガラシ、トゲチシャ、ヒメムカシヨモギ。父は家からそう遠くない線路の土手をよく調べている。「ほら、ごらん、この花は見たことないじゃないか、それからあそこの円錐花序」。父は草むらにはいつくばって、小さなシャベルで慎重に根っこを掘り出す。土手の上を、いくつかの客車と数えきれないほどの家畜車両を連ねた列車が進む。家畜車両のなかの動物たちはまったく動かない。どこへいくのか、わたしは父から列車の行先を聞き出そうとする。「東だよ――お前は東西南北を知らないのかい?」 (88)

ポーゼンでの父との散歩の様子を伝えるシーンである。当時の記憶が主に現在時制を用いてありありと語り出されている。「アオゲイトウ」、「クジラグサ」、「トゲチシャ」といった植物の名前は先に引用したドレスデンの瓦礫の丘を歩く場面にも見受けられる。植物の名前がポーゼンの日常風景と瓦礫のドレスデンを結びつけるのだ。また、「どうせすぐにまた忘れてしまっただろう」という未来完了の文は、先の一五一頁からの引用で修正されている。フンクは父と学んだ植物の名前を忘れることはなかった。

一方、「東西南北」という言葉は、先述の四頁からの引用でフィッシャーも使っていた。フンクのドイツ語を特徴づけるために用いられた「東西南北」という語は、こうした父との思い出に向けて光を放っていたということだ。そして、フンクの父が発する「東西南北」という言葉は家畜車両を連ねた列車にまとわりつく別のイメージを引きずり出す。『カルテンブルク』ではこのように特定の単語が言葉のプリズムとなって、一見、繋がりがないようにみえる記憶の断片と断片を結びつけて想起の網の目を作りあげるのである。

動物たちが中でまったく動く気配のない家畜列車というのも妙な話であるが、フンクの語りは家畜列車の内部まで深入りすることはない。そのかわりに、絶対に触れてはいけない植物としてヒヨスを教える父の言葉が続く――「この花もこの草も絶対に触ってはいけないよ、わかったかい?」(88f.)。こうした禁忌のイメージが家畜列車のイメージを膨らませる。ちなみに、「東西南北」はドイツ語で **Himmelsrichtungen** である。名詞 **Himmel** には「空」のほかに「天国」という意味があり、**Richtungen** が「方向」を表す名詞 **Richtung** の複数形であるとすれば、**Himmelsrichtungen** から死を連想することはたやすい。天国とはかけ離れた各地の収容所に家畜列車で移送されていったユダヤ人のイメージがメディアに氾濫しているせいで、ここでも深読みをしたくなる。子供にとっては日常的な散歩の風景だが、そこにホロコーストの残像がちらついていないか。だとすると、この残像は誰がイメージしているものなのか。老フンクか、作者バイアーか、あるいは読み手の脳裏に焼き付いたイメージなのか？

「歴史家の頭のなかにいるあの野生動物」のなかで、バイアーは「想起されたもの〔das Erinnerte〕」と「私が想起させられたもの〔das, an das ich erinnert worden bin〕」を並べ、自分の経験の外部にある記憶と自分の経験として想起された記憶の境界がゆらぎやすいことに注意を促している。家畜列車のエピソードでは、フンクの子供時代の日常風景とメディアに流通するホロコーストをめぐる集合的記憶が二重写しになっており、まさにフンクの個人的な経験と集合的記憶がせめぎあうイメージを作り上げている。テキストの余白を読み手がどう補うかによって、この場面が伝える内容は変わるのだ。

Carduelis carduelis——日本語で「ゴシキヒワ」——は、ドイツ語では二つの呼び名——スラブ語源の「シュティーグリッツ」とドイツ語古来の「ディステルフィンク」——を持つ。言語の橋渡しをするという意味で、シュティーグリッツが「翻訳者鳥」と呼ばれていることは先に述べた通りだ。ちなみに「翻訳する」を意味するドイツ語は非分離動詞 übersetzen、他動詞である。一方、分離動詞 überlsetzen は「向こう岸に渡る／渡す」という意味の自動詞／他動詞である。ドレスデンの瓦礫の丘でフンクの双眼鏡が捉えたシュティーグリッツは、まさに現在と過去を、あの世とこの世を、そして死者と生きている者を近づけてつなぐ存在となる。そして、父との散歩の記憶につながるドレスデンの瓦礫の風景は、それどころか空襲の犠牲になった父親とホロコーストの記憶を仲介するがゆえに、相入れがたいドイツ人の犠牲と犯罪を同時に語り出すものとなっている。

4 不在を語る

空襲や家畜列車のシーンからも明らかなように、バイアーは犠牲者の姿を読み手の眼前にさらすことはない。バイアーのテキストは、どこに向かうかわからない想起の営みを繰り返しながら死者たちの気配を漂わせるだけである。こうした「不在」を、バイアーは興味深い方法で表現している。

「彼らにはペットを飼うことすら禁じられていたのをあなたたちは知ってた?」（322）

老フンクによる青年時代の回想のなかで、将来フンクの妻となるクララが放った言葉である。ある一節の冒頭、最初の一文にもかかわらず、いきなり主語が三人称複数の代名詞「彼ら〔sie〕」となっており、その指示対象はぼかされている。しかし、ペットを飼うことを禁じる等、ユダヤ人の日常生活を厳しく制限したナチスの法令を知っていれば、このsieが何を指しているのかは想像がつく。『カルテンブルク』では、ホロコーストを扱いながらも、「ユダヤ人」という単語が意図的に避けられている。バンヴェニストは「動詞における人称関係の構造」において、アラビア語の文法を参照しつつ、三人称を「〈そこに〉いない者[10]」として定義し、三人称の非人称性を強調しているが、バイアーがここであえて三人称の代名詞を使っているからといって、テキストが生み出す想起の場からユダヤ人が疎外されているというわけではない。むしろ、こうした不自然な三人称の使用によって、逆に「不在」が強調される。

ペットを飼ってはいけないという法令は鳥を飼うことも禁じた。フンクとフィッシャーは、フンクの父とカルテンブルクが「世界的ポグロム〔WELTPOGROM〕の最中に飼い主を失った鳥たちの世話をしていた」(338)のではないかと推測するが、あえて大文字の「WELTPOGROM」という言葉を伴って飼い主の不在が強調されるとき、意気消沈するマリアの表情を説明する「この鳥の種を地上から永遠に消滅させるための」というフレーズに込められた意味を理解できるのではないか。「アマツバメ」は、子守女のみならず、ポーゼンの家で父が世話をしていた鳥たち、そしてユダヤ人にペットを飼うことを禁じた法令からホロコースト、さらにはそこにいない者たちへと記憶をつなぐ役割を担うものなのだ。

フィッシャーは、「子供の頃、夜明け前に隣人が連れて行かれるのを見たことがありませんか?」(328)と問いかけて、フンクにホロコーストの目撃者としての証言を期待する。しかしフンクにはその記憶がない。「いや、何も見ていない。とんでもない残酷な言い方に聞こえるかもしれないが、もし何か見ていたら、今のわたしならそれをありがたく思うだろう。少なくとも、マリアがわたしたちの家を去ったあの瞬間を確かめることができていたのであれば」(328)と、記憶の欠落を悔やみ、マリアがどのようにいなくなったのか想像をめぐらせる。

彼女は集合場所に出頭するよう要請されたからといって、父と母に別れの挨拶をするのだろうか？　両親は、びくびくしながら何も言わずに、街中まで一丁ほど彼女に付き添うのだろうか？　あるいは、ある夜、マリアは予告もなしに、とつぜん姿を消すのだろうか、わたしの家族に面倒を起こしたくないという理由から。それでも、たとえそれがありえないようなことだとしても、恐ろしい思いをせずに親元に帰り、新しい勤め口を見つけるか、以前マルティンが予想していたように、本当に結婚したということもあるかもしれない。涙の別れの場面を延々とわたしに見せたくなかったのかもしれない。マリアが姿を消したのが早朝だろうが夜中だろうが同じことか。どうぜ、わたしは寝ていたにちがいないのだから。（328）

現在形の問いかけや接続法二式で語り出されるマリアの様子は、あくまでも老フンクの憶測の域を出ない。フンクの語りはマリアの不在を強く意識させるが、彼女がユダヤ人だという記述はどこにもない。しかし、「集合場所に出頭」「ある夜、予告もなしに、とつぜん姿を消す」という言葉が、連行されるユダヤ人の、よく知られたイメージ通りの様子を伝える。先ほどの家畜列車の場面と同様に、このフンクの回想シーンも、一人称の語り手が思い浮かべるイメージと、集合的記憶としてのホロコーストのイメージが二重写しになっている。

ところで、定かならざるフンクの語りは、懐かしい甘美な思い出ばなしに回収されることはない。バイアーのテキストは、「私」の記憶が他人の記憶によって無残にも裏切られることを伝えるからだ。フンクはクララに、子供時代に瓦礫のなかでシュティーグリッツを追った話をするが、「クララの記憶では、この界隈にアトリ科の小鳥はいなかった、彼女は雛に餌をやるシュティーグリッツのつがいを見たことがなかった」(329)。シュテーグリッツが存在しないということは、フンクにとって、シュティーグリッツが目印となっていたドレスデンの体験や記憶が否定され、その鳥と共に存在していた自分も失われるということを意味するも同然だ。失われた時を探し求めるどころか、かつてあったと信じていた時が失われていくのである。[11] しかし、それを老フンクは嘆いたりはしない。バイアーはこのような形で、記憶の真正性や懐かしさではなく、過去の出来事に対する誤解や認識のぶれ、記憶の不確かさを意識させるのである。

『カルテンブルク』では、「アマツバメ」や「シュティーグリッツ」のようなきらりと光る特定の言葉がさも意味ありげに時と場所を変えて繰り返しあらわれるので、読み手は否応なしに記憶力を試され、そうした言葉やイメージにふりまわされることになる。飛躍するフンクの回想につきあう読者もまた、立ち止まっては過ぎた時間を(読書の時間も含めて)ふりかえることを強いられる。

5 「観察する」と「観察される」の関係

鳥類学者のフンクは鳥を観察する立場にある。通訳のフィッシャーはフンクの語りに耳を傾け、読み手はバイアーのテキストが織りなす記憶のタペストリーに目を凝らさなければならない。興味深いことに『カルテンブルク』における想起の営みは、人間と鳥のあいだに生じる「見る」「見られる」の安定した関係をもゆるがすものになっている。

オートバイが路肩に止まり、運転手は降りてタバコに火をつけた。退屈そうに車両、広場、建物のファサードへと視線を這わせた。動きが止まる。彼はハーゲマン一家の家をじっと見つめた。ケースから双眼鏡を取り出した。姉妹は息をのんだ。しかし、そこにカラスがいただけのことだった。屋根の上にとまっていたカラスたちはおりてくるや、またすぐに高く舞いあがり北東に消えて行った。まるで双眼鏡と肩に担いだ銃がカラスたちの神経を逆なでしたかのようだった。(319f.)

これはフンクの妻クララの子供時代の記憶である。毎朝、家の窓から広場に集まるカラスを観察することが姉妹の日課になっていた。ここでは、クララたち姉妹と、姉妹の観察対象であるカラスが視線を共有する瞬間が捉えられる。逆にいうと、少女たちは兵士や軍用車、「寝間着姿のお隣さんと革コートの男たち」（322）を目撃するのだが、カラスもまたそれを目撃しているということだ。幼い姉妹が当時その出来事の意味を正しく理解していたわけではない。しかし、毎日見かける「まったくどこにでもいるカラス」（320）の存在を通して、異様な外部の様子が姉妹の記憶に刻み込まれるのである。

ところで、研究所を兼ねたカルテンブルクの屋敷は、そこで飼育される動物のことを勘案して誂えられている。来訪者にこのように動物を飼う理由を聞かれると、カルテンブルクは「調べている、まる（プンクト）、以上」（224）と答える。別の来訪者は、こうした生き物の何を調べているのかと聞いてくる。するとカルテンブルクは次のように答える。

「この動物たちの何をだって？　どの動物だい？　わたしは君たちのことを調べているのだが」（225）

「わたしは君たちのことを調べている」というカルテンブルクの一言が、観察者と観察対象の関係、つまり主体と客体という安定した関係を骨抜きにする。こうした観察者が観察対象から観察されるという奇妙な感覚はフンクも認識している。

どの鳥も生きているかのような印象を喚起するよう意図して剥製にされている。展示ケースの傍にぼんやり立っていると、台座から落ちた一羽の鳥を発見してびっくりすることがある。そのたびに思い知らされるのだが、修練をつんだ観察者でさえ、鳥の剥製ではなく押し黙る観察者たちに取り囲まれているような錯覚に陥るものなのだ。　(70)

『カルテンブルク』に登場する鳥には死者たちの物語が書き込まれている。生きていた鳥の残像である剥製に、人間の死の記憶を託された鳥のイメージが重なる。「おし黙る」という言葉を「死んで言葉を失った」と解釈することも可能だろう。こうした鳥のイメージが、カラスやシュティーグリッツのような日常よく見かける鳥へとずらされるとき、生き残った者や次世代の人間たちは、絶えず死者の視線に晒されているということになる。そして読み手もまた、バイアーのテキストを通して、何者かに観察されているかのような奇妙な感覚を共有し、日常生活のなかで鳥を見るたびに『カルテンブルク』を思い出すことになるのだ。

結び

『カルテンブルク』における想起の営みが、語り手のみならず聞き手や読み手からも観察者としての安定した立場をうばうことが明らかになった。私たちはフンクの言葉にふりまわされ、事実と憶測もしくは虚構の境目すらよくわからないテキストと向き合いながら、そこで実際に何が起こっていたのかを見きわめ、想起のなかに巣食う不在を補填するように促される。しかし、真相がはっきりと示されるわけではないので、ややもやしたものがいつまでも残る。

　マルセル・バイアーは「歴史家は観察者としてイメージの外側にいる。私が執筆のさいに、自分をその場面の向こう側にいる誰かと見なすのであれば、私は歴史小説を書くだろう。私はいつもイメージの一部である――登場人物の声のほかに私の声が聞こえてくるという意味ではなく、私の声もまた登場人物の声の一部なのである」[12]と述べている。バイアーはバンヴェニストによって定義されるイストワールの書き手の立場からは距離をおき、登場人物の声、つまりテキストの一部となることを選ぶ。一方、先にも述べたとおり、対話からなるフンクの回想はディスクールの戯れそのものだ[13]。ディスクールが語り手の想起をうながし、「かつて」と「いま」のあいだに双方向の関係が生じる場がきりひらかれる。『カルテンブルク』において、ディスクールと中動態は切り離せないものとなっている。ディスクールの戯れのなかで「私」の意識は想起という動作の完全なる影響下におかれ、想起される対象と「私」の関係や、「私」のアイデンティティが揺さぶられることになるからだ。そして、こうした中動態らしきものが生み出すイメージには読み手も関与している。『カルテンブルク』のテキストに浮かびあがる中動態らしきものとは、語り手と書き手と読み手の想起が共に創り出す記憶であり忘却である。フンクの想起の営みから生まれるイメージを読む読者は、テキストを読みながら、己の意識にすりこまれたステレオタイプの集合的記憶を無意識のうちにテキストに書き込んでいる。私たちが『カルテンブルク』のテキストから読み取る様々なイメージは、もはや誰のものなのかわからない。

【註】

＊ Marcel Beyer, *Kaltenburg*. Frankfurt a. M. (Suhrkamp Taschenbuch Verlag) 2009. 本書からの引用は（ ）内にページ数のみを示す。

（1） Vgl. Aleida Assmann: Geschichte aus der Vogelperspektive. Die Erfindung von Vergangenheit in Marcel Beyers *Kaltenburg*. In: Christian Klein (Hg.): *Marcel Beyer. Perspektiven auf Autor und Werk*. Stuttgart (Metzler) 2018, S. 159.

（2） エミール・バンヴェニスト「動詞の能動態と中動態」、同『一般言語学の諸問題』（岸本通夫監訳、みすず書房、二〇一五年）、一六九―一七〇頁。

（3） ドイツ語における中動態については、北條彰宏「ドイツ語の再帰的表現を規定する認識表象について――言語性表象水準と非言語性表象水準の狭間で」（慶應義塾大学日吉キャンパス学内共同研究集会「言語の中動態、思考の中動態」での口頭発表、二〇二〇年九月二十四日Zoom開催）を参考にさせていただいた。詳細は本書の北條論文を参照のこと。

（4） Marcel Beyer: Das wilde Tier im Kopf des Historikers. In: Stefan Deines, Stephan Jaeger, Ansgar Nünning (Hg.):

Historisierte Subjekte–Subjektivierte Historie. Zur Verfügbarkeit und Unverfügbarkeit von Geschichte. Berlin (De Gruyter) 2003, S. 298.

（5）Ebd., S. 297.

（6）カルテンブルクのモデルとして、オーストリアの動物行動学者で、『ソロモンの指輪』の作者でもあるコンラート・ローレンツが考えられる。

（7）先行研究ではフンクの受動性が指摘されている。Vgl. Assmann, a.a.O., S. 157-169; Philipp Hammermeister: Vergangenheit im Konjunktiv: Erinnerung und Geschichte in Marcel Beyers *Kaltenburg*. In: Torben Fischer, Philipp Hammermeister, Sven Kramer (Hg.): *Der Nationalsozialismus und die Shoah in der deutschsprachigen Gegenwartsliteratur*. Amsterdam, New York (Rodopi) 2014, S. 237-257.

（8）W. G. Sebald: *Luftkrieg und Literatur*. Frankfurt a. M. (Fischer) 2003, S. 52-59. 訳は、W・G・ゼーバルト『空襲と文学』（鈴木仁子訳、白水社、二〇〇八年）、四六―五二頁を参考にさせていただいた。

（9）「双眼鏡」はバイアーの歴史との取り組みを特徴づける想起の装置である。双眼鏡はレンズによって切り取られた対象に焦点を合わせてそれを間近に見せるものである。バイアーは歴史的題材を扱うとき、出来事をはじめと終わりを持つ一つのまとまりとして論理的な一本線で語ることを拒み、全体を捉えるのではなく、出来事の細部に接近する方法を取るのである。Vgl. Beyer, Das wilde Tier im Kopf des Historikers, a.a.O., S. 301.

（10）エミール・バンヴェニスト「ことばにおける主体性について」、『一般言語学の諸問題』二〇四頁。

（11）この「シュティーグリッツ」のエピソードは、ヴァルター・ベンヤミンの『一九〇〇年頃のベルリンの幼年時代』（一九三二―一九三八）に対するバイアーのオマージュとなっているのではないかと筆者は考えている。『一九〇〇年頃のベルリンの幼年時代』に「シュテーグリッツ通りとゲンティーン通りの角」と題された短いエッセイが収録されている。幼いベンヤミンはおばさんの家がある「シュテーグリッツ通り」を「シュティーグリッツ通り」だと思い込んでいた。「シュティーグリッツ」という鳥の名前から想像がふくらみ、ベンヤミン少年にとって、おばさんは喋ることができる鳥のようで、その家は鳥籠そのものだった。「私がその鳥籠に入っていくと、そこはいつも、この小さな黒い鳥のさえずる声でいっぱいだった」とベンヤミンは幼年時代をふりかえっている。しかし、歳を重ねて正しい通りの名前を知るや、「子供の私の目にこの街角を被い隠していたヴェール」が剥がれ落ちるのである。Vgl. Walter Benjamin: Berliner Kindheit um Neuzehnhundert. In: ders., *Gesammelte Schriften, Bd. IV-1*. Frankfurt a. M. (Suhrkamp), 1972, S. 248f. 訳は、『ベンヤミン・コレクション』（浅井健二郎編訳・久保哲司訳、ちくま学芸文庫、二〇〇八年）、五〇八頁を参考にさせていただいた。

（12） Beyer, Das wilde Tier im Kopf des Historikers, a.a.O., S. 301.

（13） バンヴェニストの中動態とディスクール概念をつなぎ、独自のエクリチュール論を展開したのがロラン・バルトである。ロラン・バルト「書くは自動詞か？」、同『言語のざわめき』（花輪光訳、みすず書房、二〇〇〇年〈新装版〉）、一九―三五頁。ロラン・バルト「なぜバンヴェニストを愛するか」、前掲書二一五―二二三頁。詳細は本書の郷原論文を参照のこと。

謝辞――「あとがき」に代えて

二〇一九年から二年間、慶應義塾学事振興資金（共同研究：小野文代表）の援助を受け、理工学部日吉教室に属する研究者、そして幾人かの外部の研究者が集まって、定期的に「中動態」勉強会を開いてきた。途中、新型コロナウイルスの感染拡大にともないキャンパスが閉鎖されるという前代未聞の事態に遭遇し、予定されていた研究集会も延期せざるを得ない状況となり悔しい思いもした。それでも、二〇二〇年九月には、オンラインではあったが、それぞれの研究成果を発表しあう場を設けることができた。この論文集は、パンデミックに直面しても粛々と自身の仕事を進めていく研究会メンバーたちの、二年に及ぶ研究活動の集大成である。

研究集会での発表を中心としたものが一冊の論文集として日の目を見るまでには、多くの方々の助けを必要とした。まずはこの共同研究と論文集出版を資金面で支援してくださった慶應義塾大学に対して、心から感謝の意を述べたい。こうした受け皿があったからこそ、研究集会延期等のハプニングがあっても、最後まで続けられることができたのだと思う。また研究会立ち上げの際に「中動態」に関してアドバイスをくださった研究者の方々――一人ひとりのお名前は挙げられないが、各言語、あるいは複数言語における中動態的言語事象について、説明してくださった――に、お礼を申し上げたい。期待されたようなものにはならなかったかもしれないが、寄せてくださった関心は「中動態研究会」を通して得られた繋がりの一つと考えている。研究会立ち上げメンバーとして名前を連ねてくださった朝妻恵里子氏（ロシア語、言語学）、最後まで私たちの議論に付き合い、アガンベンにおける「使う」という中動態的思考を説明してくださった高桑和巳氏（イタリア現代思想）にも、私たちは多くを負っている。研究集会にディスカッサントとして加わり、私たちが気づいていなかった「繋がり」や「断絶」を鋭く指摘してくださった郷原佳以氏には格別の感謝を捧げたい。郷原氏には、この論文集にも執筆者として最後までお付き合いいただいた。真摯な研究の交わりができたことを大変嬉しく思っている。

学術出版の場が失われつつある昨今の状況のなかで、論文集の出版を引き受けてくださった水声社、また丁寧に各論考を読み込んで編集の作業にあたってくださった廣瀬覚氏には、執筆者を代表して心からのお礼を申し上げる。この本が中動態に関心をもつ読者に届き、その中動態概念の可能性を拡げるきっかけとなれば幸いである。

二〇二二年一月

粂田文

編者／執筆者について――

小野文（おのあや）　一九七三年生まれ。パリ第十大学大学院博士課程修了。博士（言語学）。現在、慶應義塾大学准教授。専攻、言語思想史。主な著書に、*La nation d'énonciation d'Emile Benveniste* (Lambert-Lucas, 2009)、『21世紀のソシュール』（共著、水声社、二〇一八年）などがある。

粂田文（くめだあや）　一九七二年生まれ。上智大学大学院博士後期課程単位取得退学。博士（文学）。現在、慶應義塾大学准教授。専攻、現代ドイツ文学。主な訳書に、アルフレート・デーブリーン『たんぽぽ殺し』（共訳、河出書房新社、二〇一六年）などがある。

＊

北條彰宏（ほうじょうあきひろ）　一九五七年生まれ。慶應義塾大学大学院博士課程単位取得退学。現在、慶應義塾大学准教授。専攻、心理言語学。

荒金直人（あらかねなおと）　一九六九年生まれ。ニース大学大学院博士課程修了。博士（哲学）。現在、慶應義塾大学准教授。専攻、哲学。主な著書に、『写真の存在論』（慶應義塾大学出版会、二〇〇九年）、主な訳書に、ブリュノ・ラトゥール『近代の〈物神事実〉崇拝について』（以文社、二〇一七年）などがある。

熊倉敬聡（くまくらたかあき）　一九五九年生まれ。パリ第七大学大学院博士課程修了。博士（文学）。現在、芸術文化観光専門職大学教授。専攻、芸術学。主な著書に、『藝術2.0』（春秋社、二〇一九年）、『GEIDO論』（春秋社、二〇二一年）などがある。

郷原佳以（ごうはらかい）　一九七五年生まれ。パリ第七大学大学院博士課程修了。博士（文学）。現在、東京大学准教授。専攻、フランス文学。主な著書に、『文学のミニマル・イメージ』（左右社、二〇一一年）、主な訳書に、モーリス・ブランショ『文学時評 1941-1944』（共訳、水声社、二〇二一年）などがある。

藤巻るり（ふじまきるり）　一九七二年生まれ。上智大学大学院博士前期課程修了。博士（京都大学、教育学）。現在、埼玉工業大学准教授。専攻、臨床心理学。臨床心理士・公認心理師。主な著書に、『発達障害児のプレイセラピー』（創元社、二〇二〇年）、『セラピストの主体性とコミットメント』（共著、創元社、二〇二〇年）などがある。

装幀――宗利淳一

言語の中動態、思考の中動態

二〇二二年二月一五日第一版第一刷印刷　二〇二二年二月二五日第一版第一刷発行

編者――小野文・粂田文

発行者――鈴木宏

発行所――株式会社水声社

東京都文京区小石川二―七―五　郵便番号一一二―〇〇〇二
電話〇三―三八一八―六〇四〇　FAX〇三―三八一八―二四三七
［編集部］横浜市港北区新吉田東一―七七―一七　郵便番号二二三―〇〇五八
電話〇四五―七一七―五三五六　FAX〇四五―七一七―五三五七
郵便振替〇〇一八〇―四―六五四一〇〇
URL：http://www.suiseisha.net

印刷・製本――精興社

ISBN978-4-8010-0629-4